Secretos de la juventud para la mujer

SALUD TOTAL
para la mujer™

250 consejos para borrar el
paso de los años

Secretos de la juventud para la mujer

por las editoras de **PREVENTION**
EN ESPAÑOL

RODALE

Aviso

Este libro sólo debe utilizarse como volumen de referencia, y no como manual de medicina. La información que se ofrece en el mismo tiene el objetivo de ayudarla a tomar decisiones con conocimiento de causa acerca de su salud. No pretende sustituir ningún tratamiento que su médico le haya indicado. Si sospecha que tiene algún problema de salud, la exhortamos que busque ayuda de un médico competente.

─── **NUESTRO OBJETIVO** ───

*Nosotros queremos demostrar que toda persona puede usar
el poder de su cuerpo y de su mente para mejorar su vida.
El mensaje en cada página de nuestros libros y revistas es:
¡Usted sí puede mejorar su vida!*

RODALE

LAS ASESORAS MÉDICAS
DE PREVENTION EN ESPAÑOL

La doctora Hannia Campos, Ph.D.
Profesora auxiliar de Nutrición en la Escuela de Salud Pública de la Universidad Harvard en Boston, Massachusetts. También es miembro del comité planificador de la Pirámide Dietética Latinoamericana y profesora adjunta visitante del Instituto de Investigación de la Salud de la Universidad de Costa Rica.

La doctora en medicina Diana L. Dell
Profesora adjunta de Obstetricia y Ginecología en el Centro Médico de la Universidad Duke en Durham, Carolina del Norte y codirectora del programa de formación médica sobre cáncer cervical y cáncer de mama de la Asociación Médica Femenina de los Estados Unidos.

La doctora en medicina Clarita E. Herrera
Instructora clínica de la Administración de Atención Primaria en el Colegio de Medicina de Nueva York en Valhalla y médica adscrita adjunta en el Hospital Lenox Hill en la ciudad de Nueva York.

La doctora en medicina JoAnn E. Manson
Profesora adjunta de Medicina en la Facultad de Medicina de la Universidad Harvard y codirectora de los programas de salud femenina en el Hospital Brigham and Women's en Boston, Massachusetts.

ÍNDICE

Aunque no hay un alimento que pueda borrarle las arrugas o eliminar las ojeras, las nuevas investigaciones han revelado que lo que comemos tiene mucho que ver con la manera en que nos vemos. ¿Por qué? Porque todas tenemos las llamadas "hormonas de la juventud" y sus niveles dependen de nuestra alimentación. Aquí aprenderá qué debe comer para mantener altos esos niveles.

Igual que las otras partes de nuestro cuerpo, el cabello cambia conforme envejecemos. Nos salen canas, se nos vuelve más fino o simplemente necesitamos un cambio pero no sabemos qué nos conviene. Nuestras expertas en belleza le ayudarán a escoger el mejor look para usted, a evitar los cortes "envejecedores" y le informarán sobre las mejores técnicas para asegurar que su cabello tenga el color más favorecedor posible.

Algunas artistas se la han hecho y han quedado radiantes y jóvenes. Otras se la han hecho y ahora parecen extraterrestres. Sabe que la cirugía podría quitarle años, pero los casos de las artistas "extraterrestres" la hacen dudar. En este capítulo le contestaremos sus preguntas sobre este tipo de cirugía, enseñándole todo lo esencial que necesita saber sobre los distintos procedimientos, los costos y cómo podrá terminar luciendo igual como ha soñado.

El color correcto puede obrar maravillas para nuestra apariencia. Sin embargo, el color inadecuado puede hacernos lucir poco atractivas, cansadas y viejas. Las ex-

pertas le explicarán cómo determinar cuáles colores le favorecen según el tono de su cutis y cuáles no, sea para ropa, zapatos o maquillaje.

Obviamente cuidarse el cutis es primordial cuando se trata de conservarse joven y atractiva. Aquí se enterará del enemigo número uno de su cutis y cómo puede vencerlo naturalmente. Nuestras expertas también le aconsejarán acerca de los mejores alimentos para la piel y le darán remedios eficaces para problemas como ojeras, arañas vasculares, poros grandes y párpados hinchados.

Mantener nuestra juventud no es sólo una cuestión de borrar unas arrugas o recuperar la cinturita que teníamos a los 20 años. Desgraciadamente, a medida que envejecemos somos más propensas a enfermarnos y las mujeres tendemos a padecer ciertas afecciones específicas como la osteoporosis, el cáncer y la diabetes. Por fortuna unos pequeños cambios en nuestra rutina diaria bastan para protegernos y darnos una salud de hierro. Este capítulo le explicará cuáles son y cómo hacerlos, más le aportará algunas estrategias detalladas para evitar los padecimientos que más afectan a las mujeres.

Claro que el conjunto adecuado puede quitarle años. Sin embargo, a veces se nos puede ir la mano usando ciertas prendas de jovencitas que, si bien les quedan bien a ellas, nos pone a nosotras en ridículo. Aquí nuestras expertas le darán recomendaciones generales para evitar esto y crear el look más adecuado para usted según su edad y sus características físicas.

En la batalla para cortarles el paso a los años, el maquillaje puede ser nuestro mejor aliado o, como la ropa, nuestro peor enemigo. Todo depende de cómo lo usemos. En este capítulo repasamos todas las categorías generales de maquillaje, desde base, corrector y rubor hasta polvos, rímel y lápiz labial, indicándole las mejores fórmulas, colores y aplicaciones para usarlas correctamente según su tono de cutis.

Nutrientes para el cutis:

Allí nos esperan en la tienda en el departamento de cosméticos: cientos de frascos de todo tipo que casi prometen contener agua de La Fuente de la Juventud. ¿Nos estarán estafando los fabricantes o realmente ayudan algunas de estas cremas y pociones? Aquí la sacaremos de duda al determinar —con la ayuda de dermatólogas expertas— cuáles productos dan resultado, en qué concentración mejor funcionan y cómo sacarles el máximo provecho.

Parece mentira, pero según los estudios, hacer el amor con nuestra pareja puede hacernos lucir y sentirnos más jóvenes. De hecho, un investigador afirma que mejorar la vida sexual puede ayudarnos a lucir entre cuatro y siete años más jóvenes. La clave es saber cómo lidiar con los cambios en nuestro cuerpo y vida para disfrutar el sexo al máximo. En este capítulo nuestras expertas le darán sugerencias sencillas para reavivar su relación con romance y pasión mientras emplea la medida rejuvenecedora más agradable del mundo.

Probablemente todas quisiéramos volver a tener la figura que teníamos a los 20 años. O puede ser que deseamos bajar de peso mientras nos rejuvenecemos el cutis o los ojos o el cabello como parte de un plan integral para "quitarnos" años. Sea cual sea su caso, aquí usted encontrará consejos comprobados para adelgazar y mantenerse esbelta.

Aunque la ciencia aún no puede brindarnos unas pastillitas que nos convertirán en muchachas de 20 años instantáneamente, sí hay algunas que nos ayudarán de manera impresionante en nuestra lucha con el tiempo. En general nos sirven de defensores contra la mayoría de las enfermedades que nos atacan a medida que envejecemos. Entérese de los mejores suplementos para mantener el envejecimiento a raya.

INTRODUCCIÓN

Quien hizo la ley, hizo la trampa

Una de las leyes de la Naturaleza es que tenemos que envejecer, que los años irán pasando y dejarán su huella en nosotras. En un mundo donde reina la juventud, esto puede ser problemático, especialmente para la mujer. Si el hombre tiene canas, nuestra sociedad lo ve como distinguido. Si tiene arrugas, la sociedad lo ve como alguien con mucha experiencia y sabiduría. Si tiene panza, la sociedad lo ve como simpático. Pero todo cambia si es la mujer quien tiene estas mismas señales del envejecimiento. Para la mujer, el envejecer y las ideas de la sociedad al respecto implican muchas cosas negativas, como dejar de sentirse atractiva, olvidarse del romance y cerrarse las puertas a las posibilidades del futuro.

Por fortuna, no tiene que ser así. Fue por eso que escribimos este libro. Después de dos años de investigación y largas entrevistas con una gama amplia de expertas, entre ellas doctoras en Medicina, dermatólogas, nutriólogas y cosmetólogas (y unas cuantas "ólogas" más), descubrimos que no nos tiene que tocar perder al envejecer. De hecho en muchos casos envejecer es florecer. Todo depende de nosotras. Si empleamos las estrategias correctas, podemos dedicar cada día a cortarles el paso a los años y lograr resultados duraderos. En cambio, si hacemos caso omiso de dichas estrategias y hacemos lo que nos dé la gana, es muy probable que sigilosamente los años irán cobrando su precio hasta que un día no vamos a reconocer la doña arrugada y cansada que nos mira desde el espejo.

Nuestras investigaciones nos ayudaron a identificar las estrategias principales para revertir el proceso del envejecimiento y mantenerse joven. Las hemos incluido aquí organizadas en orden alfabético. También encontrará temas que no son estrategias rejuvenecedoras, como enfermedades, sobrepeso y sexo. Los dos primeros fueron incluidos porque los expertos indican que son una parte inevitable del envejecimiento y cualquier programa rejuvenecedor sería incompleto sin ellos. Pensándolo bien, es lógico. ¿De qué le vale tener un cutis lindo si sufre de la artritis y le cuesta trabajo caminar o bailar? ¿O si se ve 10 años menor que su edad gracias a nuestras estrategias rejuvenecedoras pero contrae cáncer? ¿O si trata de restarse años usando cremas, maquillaje y hasta cirugía pero sus 20 libras (9 kg) de más se los vuelven a agregar?

En cuanto al sexo, decidimos incluirlo por dos razones. Una es que ciertas investigaciones indican que realmente ayuda a las personas a mantenerse jóvenes. Otra es que muchas personas creen que con los años este ya no se disfruta tanto y de hecho empeora. Pero no es así, siempre y cuando se utilicen algunas tácticas como las que hallará en ese capítulo para mantener el fuego de la pasión ardiendo entre usted y su esposo.

No obstante, lo que probablemente la motivó a pedir este libro son las estrategias específicas que tienen que ver con recuperar la juventud o detener el tiempo. Bueno, tranquila: aquí encontrará todo lo que necesita, como por ejemplo:

• La vitamina que borra las arrugas

• El producto casero común que elimina las bolsas debajo de los ojos

• Los productos para el cutis que son imprescindibles así como de los que no sirven y de hecho estafan a la gente

• Los últimos procedimientos estéticos disponibles, cuánto cuestan y cómo encontrar a un buen cirujano

• Cuatro consejos de cosmetólogas expertas que debe tomar en cuenta cuando quiera escoger un nuevo corte de pelo para lucir más joven

• Los mejores colores según su tono de piel que resaltan sus facciones y le restan años

Y 150 "escapatorias" más. Sí, escapatorias. Como dijimos al empezar, el envejecimiento es una ley. Si embargo, no hay que ser abogada para saber que cada ley tiene escapatorias que una puede aprovechar para hacer trampa y no verse afectada por ella. Por eso existe el dicho que dice: "Quien hizo la ley, hizo la trampa". Este libro le ofrece las mejores formas de hacer trampa con esta ley del envejecimiento. Utilícelas. Sálgase con la suya. Sea eternamente vivaz, atractiva y llena de vida. Se lo merece.

—Las editoras de *Prevention en Español*

ALIMENTACIÓN

El menú de la juventud

Pablo Picasso una vez dijo, "Volverse joven toma mucho tiempo". Fácilmente podría haber agregado, "Y mucha comida".

Sí, comida.

Ya no existe ni la más mínima duda de que comer los alimentos correctos es una de las claves, o tal vez *la* clave, para evitar las enfermedades cardíacas, el cáncer y otras enfermedades relacionadas con el envejecimiento. Además, ahora existen pruebas científicas que demuestran que una alimentación saludable en realidad puede retardar —o en algunos casos, hasta revertir— el proceso del envejecimiento en sí. Qué maravilla, ¿no cree?

La alimentación correcta puede estimular a nuestros cuerpos para que produzcan las "hormonas de la juventud" que controlan el flujo y reflujo de los mecanismos "antienvejecedores" de nuestro cuerpo, afirma el Dr. Vincent C. Giampapa, presidente del Consejo de Medicina Antienvejecimiento de los Estados Unidos. El resultado: mayor energía; una inmunidad más fuerte; memoria, visión y audición mejores; más músculo y huesos más densos.

Llevar una alimentación correcta también puede ayudar a que nuestras células se reparen y reemplacen con más rapidez, transporten energía y se deshagan de residuos y toxinas con mayor eficiencia. Igualmente importante, la alimentación puede ayudar a proteger nuestro ADN, que es la huella genética que dirige la orquesta de las 50 a 60 mil millones de células que tenemos en el cuerpo.

Tácticas para vencer la vejez

Según el Dr. Giampapa, el objetivo que persigue una "alimentación antienvejecimiento" es devolverle a nuestro cuerpo la eficiencia que tenía en la juventud, lo cual puede lograr con tres tácticas principales.

Táctica Nº1: **Impulsar las hormonas de la juventud.** Las hormonas más importantes para mantenernos saludables son dos: por una parte, la hormona humana del crecimiento, (*hGH* por sus siglas en inglés), la cual es liberada por la glándula pituitaria y se convierte en el hígado en otra hormona antienvejecimiento llamada factor de crecimiento insulínico (*IGF-1* por sus siglas en inglés) y, por la otra, la deshidroepiandrosterona (*DHEA*), la cual es producida por las glándulas suprarrenales.

A partir de la década de los 20 años de edad, la producción de estas hormonas en nuestro cuerpo disminuye más o menos un 10 por ciento por década. Al llegar a los 65 años de edad, nuestro cuerpo produce sólo del 15 al 20 por ciento de la hGH y del 10 al 20 por ciento de la DHEA que producía cuando éramos veintiañeras.

Con esta disminución en las hormonas de la juventud, dice el Dr. Giampapa, los mensajes químicos no van y vienen con tanta eficiencia, lo cual reduce la capacidad que tienen nuestras células y órganos de mantenerse y repararse. Perdemos músculo y densidad ósea, disminuye nuestra inmunidad y desarrollamos más enfermedades, incluyendo diabetes y cáncer.

Muy bien, o mejor dicho, muy mal. Afortunadamente, esta no es una situación irremediable.

"Al aumentar la producción de estas hormonas en el cuerpo, se puede retardar significativamente el proceso del envejecimiento —dice el Dr. Giampapa—. Y esto se puede lograr principalmente a través de la alimentación".

Táctica Nº2: **Evitar los daños causados por radicales libres.** Nuestras células usan oxígeno para producir energía. Durante este proceso generan radicales libres, que son moléculas inestables de oxígeno que dañan las células y el ADN. Los radicales libres también se producen por la contaminación, los pesticidas que contienen nuestros alimentos y por una alimentación alta en aditivos químicos, almidones y azúcares refinados, más la grasa saturada. Esta última es particularmente problemática porque es tan común; se encuentra en la carne, en los productos lácteos hechos con leche entera, los aceites tropicales y hasta en las galletitas (*cookies*) y las galletas saladas (*crackers*) que contienen aceites hidrogenados o parcialmente hidrogenados.

Cuando somos jóvenes, nuestro cuerpo nos defiende contra los radicales libres de lo más bien. Pero conforme envejecemos, empezamos a perder parte de esta batalla porque el daño causado por años de exposición a los radicales libres empieza a cobrar su precio. Entonces empezamos a necesitar la ayuda de los nutrientes antioxidantes como las vitaminas C y E, los minerales cinc y selenio y los compuestos químicos vegetales (fitoquímicos) que se encuentran en muchas frutas y verduras, los cuales unen fuerzas con los sistemas de defensa internos del cuerpo.

Táctica Nº3: **Reabastecer nuestra "sopita celular".** Cada una de nuestras células contiene una sustancia llamada citoplasma, que consiste en una "sopita" de líquido, nutrientes y otros materiales que ayudan a producir energía y a combatir los daños causados por los radicales libres, según indica el Dr. Israel Kogan, director del Centro Médico Antienvejecimiento en Washington, D. C.

La alimentación típica de las personas que viven en los Estados Unidos está cargada de aditivos químicos, pesticidas y fertilizantes más otras sustancias tóxicas que fomentan la formación de radicales libres, dice el Dr. Kogan. Cuando nuestra alimentación está libre de estas toxinas, logramos tres cosas: protegemos nuestras células contra el daño que causan los radicales libres, le damos a nuestro citoplasma los nutrientes que necesita y, finalmente, ayudamos a que nuestras células funcionen de forma óptima.

Una alimentación "limpia" también ayuda a que nuestro cuerpo regrese al nivel correcto de acidez (pH), lo cual es un elemento sumamente importante en la elaboración de nuestra sopita celular, dice el Dr. Giampapa. Esto se debe a que nuestro cuerpo sintetiza hormonas, repara células y generalmente funciona con mayor eficacia a un pH neutro.

Interésese en el índice

Muy bien, pero ¿cómo podemos impulsar (o al menos, no perder) nuestras hormonas de la juventud? Una manera es saltarse el *Danish* de cereza y queso y comerse las cerezas al natural. Este es un buen consejo por razones obvias, pero también por razones no tan obvias: los postres azucarados como un *Danish* de cereza y queso presentan lo que se conoce como un alto índice glicémico. El índice glicémico mide la rapidez con la que un alimento eleva nuestro nivel de azúcar en la sangre después de comérnoslo y la rapidez con la que dicho nivel vuelve a la normalidad.

Los alimentos que tienen un índice glicémico bajo, como las cerezas, junto con la mayoría de las frutas y las verduras y los granos integrales, ayudan a que la hGH y el IGF-1 se mantengan a los niveles que presentábamos de jóvenes, dice el Dr. Giampapa.

Estos alimentos viajan lentamente por nuestro sistema digestivo, por tanto el azúcar entra a nuestro torrente sanguíneo poco a poco, apunta Shari Lieberman, Ph.D., una científica en nutrición y fisióloga del ejercicio de la ciudad de Nueva York. Este ascenso lento y constante en el nivel de azúcar en la sangre promueve la liberación estable de insulina, que es la hormona que transporta la energía (glucosa) desde la sangre hacia el interior de nuestras células.

Cuando los niveles de insulina se mantienen estables, nuestro cuerpo produce menos cortisol, que se conoce como "la hormona del estrés", indica el Dr. Giampapa. Eso es bueno. Los niveles bajos de cortisol estimulan nuestro cuerpo a que produzca DHEA, así como las hormonas que se sintetizan a partir de la misma.

Por lo contrario, nosotros digerimos más rápido los alimentos que tienen un índice glicémico alto, como las hojuelas (copos) de maíz, las tortitas de arroz, las papas blancas y el arroz blanco. Como resultado, nuestro nivel de azúcar en la sangre se eleva rápidamente, provocando una liberación desmedida de cortisol. Los niveles altos de insulina y cortisol disminuyen la producción de DHEA y de las hormonas que se hacen a partir de la misma.

Al seguir una alimentación que principalmente consista en alimentos con un índice glicémico de bajo a medio, dice el Dr. Giampapa, podemos frenar la producción de insulina y cortisol, que son sustancias que nos despojan de nuestra juventud.

Cómo comer "a lo complejo"

Como quizá ya se haya imaginado, los alimentos con un índice glicémico bajo tienden a ser altos en fibra y carbohidratos complejos, mientras que los alimentos con un índice glicémico alto contienen poco o casi nada de ambos. Aquí le decimos cómo hacer que su alimentación se vuelva más "compleja".

Coma pan de peso completo. Compre pan integral que contenga al menos tres gramos de fibra dietética por rebanada, dice la Dra. Lieberman. Este pan tendrá un índica glicémico mucho menor que el pan blanco o incluso que el pan integral bajo en calorías.

Una buena regla a seguir: entre más pese el pan, mejor. "El pan que yo como se puede comer o usar de pisapapeles", dice la Dra. Lieberman. (Si bien el pan denso contiene más calorías, también la llena y la dejará sintiéndose más satisfecha).

Sáltese los cereales de peso ligero. Aunque puede que el trigo inflado, el arroz inflado y las hojuelas de maíz no contengan muchas calorías, estos alimentos bajos en fibra y con un alto índice glicémico pueden hacer que se dispare su nivel de azúcar en la sangre, dice la Dra. Lieberman. Opte por un cereal no endulzado que contenga al menos tres gramos de fibra por ración, como por ejemplo, *Nabisco Shredded Wheat*.

Favorezca los frijoles. Los frijoles (habichuelas) secos tienen una puntuación baja en el índice glicémico y son una fuente excelente de proteína, dice la Dra. Lieberman. Aunque casi todos los frijoles secos también son una buena fuente de fibra, los frijoles de caritas, los garbanzos, los frijoles colorados, las habas blancas y los frijoles negros son los campeones cuando se trata de fibra, pues contienen de seis a ocho gramos de fibra por cada ración de media taza.

Las batatas también son buenas. Las batatas dulces (camotes, *sweet potatoes*) tienen un índice glicémico más bajo que las papas blancas, entonces degústelas con frecuencia, sugiere la Dra. Lieberman. Por ejemplo, saben muy buenas en puré. O para hacer "batatas a la francesa" que le harán agua la boca, rebane las batatas dulces en tiras delgadas, barnícelas con una cucharada de aceite de oliva, espolvoréeles un poco de pimentón (paprika) y hornéelas a 400°F (205°C) durante 40 minutos.

Prepare comidas mixtas. Cuando coma alimentos con un índice glicémico alto, como el arroz blanco, combínelos con algún alimento rico en proteínas, por ejemplo, el pollo. La mezcla de carbohidratos y proteínas ayudará a evitar que su nivel de azúcar en la sangre se eleve con demasiada rapidez, lo cual retardará la liberación de insulina en su cuerpo.

Las dos caras de la grasa

¿Existe mujer alguna que no empuje su carrito del supermercado más despacio cuando pasa frente a la sección de pasteles (bizcochos, tortas, *cakes*), galletitas y otros dulces?

Si necesita una buena razón para apresurar el paso, aquí se la damos: comer menos postres y otros alimentos altos en grasa saturada la puede ayudar a mantener o incrementar sus niveles de las hormonas de la juventud, según indica el Dr. Giampapa.

Por otra parte, una alimentación que constantemente incluye grasa saturada hace que se detenga la producción de hGH, IGF-1 y DHEA. "No sabemos por qué la grasa saturada produce este efecto, pero el hecho es que lo produce", dice el Dr. Kogan.

Podemos estimular la producción de las hormonas de la juventud en nuestro cuerpo al procurar que no más del 10 por ciento de nuestras calorías diarias provengan de la grasa saturada, dice el Dr. Giampapa.

En otras palabras, si usted consume 1,800 calorías al día, no más de 180 de estas (alrededor de 16 a 20 gramos) deberán provenir de la grasa saturada.

Muy bien, pero ¿cómo se aplica este consejo a nuestra vida diaria? Bueno, primero que nada, aunque la cantidad adecuada de calorías diarias requeridas por las mujeres puede variar mucho, en general los expertos en nutrición afirman que 1,800 es una buena meta para la mayoría de las mujeres tanto para alimentarse como para mantenerse en un peso sano. Dado esto, usted puede calcular su límite de consumo en cuanto a la grasa saturada usando la cantidad de 1,800 calorías como base. Quiere decir esto que la meta de no consumir más de 16 a 20 gramos de grasa saturada les servirá a la mayoría de las mujeres.

Perfecto, ya sabe que no va a consumir más de 16 a 20 gramos de esta grasa nociva. Ahora necesita saber cómo cumplir con esta cuota. Una de las maneras más sencillas de lograr esto es fijarse bien en las etiquetas nutritivas de los alimentos. En estas verá listada la cantidad de grasa saturada (*saturated fat*) que cada alimento contiene por ración y cuántas raciones hay en el paquete. Tan sólo tiene que fijarse en esa cantidad y controlar su consumo para que no exceda el límite de 16 a 20 gramos diarios.

Otra forma de controlar su consumo de grasa saturada es sustituir alimentos ricos en esta por los que son ricos en grasa monoinsaturada. Este último tipo de grasa nos conviene porque tiende a reducir los niveles de colesterol conformado por lipoproteínas de baja densidad (*LDL* por sus siglas en inglés) y a elevar los niveles de colesterol conformado por lipoproteínas de alta densidad (*HDL* por sus siglas en inglés). Esto no sólo es bueno para nuestro corazón, sino que también es bueno para nuestros niveles de hormonas de la juventud. Entre mayor sea nuestro nivel de HDL, mejor equipado estará nuestro cuerpo para producir DHEA, estrógeno y testosterona, dice el Dr. Giampapa. (Esto se debe a que estas hormonas en particular realmente están compuestas de colesterol). El aceite de oliva es quizá la fuente de grasa monoinsaturada mejor conocida. Y brinda otros beneficios además de disminuir el colesterol tipo LDL, ya que contiene diversos compuestos, como los polifenoles, que son antioxidantes potentes. Estas sustancias evitan que los radicales libres dañen el colesterol tipo LDL que se encuentra en nuestro torrente sanguíneo, haciendo que sea menos probable que se adhiera a las paredes de las arterias. Otras fuentes de esta grasa benéfica son los frutos secos y el aguacate (palta).

Cómo masticar a lo mediterráneo

Incluir más grasa monoinsaturada en su alimentación mientras disminuye la cantidad de la grasa saturada que consume quizás le parezca ser un poco difícil, pero no tiene que ser así. De hecho, hay millones de personas que hacen esto a diario y aún disfrutan comidas ricas. Están en el Mediterráneo. Varios estudios han comprobado que las personas de esta región (que abarca España, Italia y Grecia), que se la pasan comiendo frutos secos, pescado, pan con aceite de oliva y tomando vino, deben su salud de hierro a su alimentación. A continuación le explicaremos cómo puede seguir su ejemplo.

"Enfrútese". Las personas que viven en los países mediterráneos comen muchos frutos secos, que son una fuente inigualable de grasas monoinsaturadas. Imítelos, sugiere la Dra. Lieberman, y échele un pequeño puñado de almendras, nueces o semillas de girasol o calabaza (pepitas) crudas a sus ensaladas, platillos de arroz o verduras. En un estudio de 10 años que incluyó a 86,016 mujeres de 34 a 59 años de edad, realizado por investigadores de la Facultad de Salud Pública de Harvard, las mujeres que comían 5 onzas (140 gramos) de frutos secos a la semana presentaban una probabilidad un 35 por ciento menor de padecer alguna enfermedad cardíaca, probablemente por el efecto benéfico que tienen los frutos secos sobre el colesterol.

Provoque su paladar y proteja su cuerpo con pescado. Coma pescados como salmón, atún, bacalao (abadejo), anón (abadejo, eglefino), arenque, perca o pargo (huachinango, chillo) una o dos veces por semana, sugiere la Dra. Lieberman. Estos pescados, que se sacan de las aguas más profundas y frías del Atlántico del Norte, son ricos en ácidos grasos omega-3, que son sustancias que se ha demostrado elevan el colesterol tipo HDL. (Los ácidos grasos omega-3 también ayudan a producir eicosanoides, que son sustancias parecidas a las hormonas que incitan a nuestro cuerpo a que sintetice hGH, dice el Dr. Giampapa).

Agárrese un aguacate. Agréguele unos cuantos pedazos de aguacate (palta) a sus ensaladas o póngale un par de rebanadas a su sándwich (emparedado) en lugar de queso. El aguacate es rico en ácido oleico, que es la misma grasa monoinsaturada que se encuentra en el aceite de oliva. Dado que los aguacates son altos en calorías y contienen alrededor de 30 gramos de grasa por pieza, disfrútelos con moderación, dice la Dra. Lieberman.

Proteja su aceitito. Compre botellas pequeñas de aceite de oliva con cuellos largos y estrechos. Y después de usar el aceite, tape bien la botella y guárdela en el refrigerador. "Estas medidas limitan la exposición del aceite al oxígeno, lo cual ayudará a evitar que se arrancie y desalentará la formación de radicales libres", dice Robert Goldman, D.O., Ph.D., cofundador de la Academia de Medicina Antienvejecimiento de los Estados Unidos.

El aceite de oliva se solidifica cuando se refrigera. Cuando vaya a usarlo, ponga la botella debajo del chorro de agua caliente durante unos minutos. Esto derritirá el aceite en la parte superior de la botella para lo pueda utilizar.

Contrólese con la carne

Como mamá siempre ha dicho, la carne es una fuente excelente de proteína. Y lo que era bueno para usted de niña sigue siendo bueno para usted ahora que es mujer.

Nuestro cuerpo utiliza la proteína que se encuentra en la carne y otros alimentos ricos en proteína para producir aminoácidos. Estas sustancias ayudan a nuestro cuerpo a formar sus propias proteínas, las cuales se utilizan para regular las hormonas, formar tejido nuevo y reparar o reemplazar el tejido desgastado.

Por desgracia, la carne tiende a ser alta en grasa saturada. Entonces, quizá usted se pregunte: ¿si le corto a la carne, dejaré de consumir proteínas? No, dice el Dr. Giampapa. Puede obtener las proteínas que necesita a partir de los alimentos sin comer ni una pizca de carne.

Existe una amplia gama de alimentos de origen vegetal, incluyendo frijoles (habichuelas) y cereales, que son fuentes excelentes de proteína, dice la Dra. Lieberman. Algunos, como la soya y el grano quinua, se consideran proteínas "completas" porque contienen los nueve aminoácidos esenciales que necesitamos para mantenernos saludables. Pero nuestro cuerpo formará sus propias proteínas completas si ingerimos suficientes calorías y comemos una variedad de alimentos de origen vegetal, como frutos secos y semillas, cereales, frutas y verduras.

Cómo pescarse la proteína sin que le arrase la grasa

A fin de cuentas, la verdad es que puede comer carne sin problemas, siempre y cuando no se coma raciones al estilo Pedro Picapiedra y que obtenga la mayoría de sus proteínas a partir de fuentes vegetales, dice la

Dra. Lieberman. Aquí le decimos cómo obtener la proteína que necesita sin consumir la grasa saturada.

Empínese un cóctel de soya. Los alimentos de soya, como la leche de soya y el *tofu* son fuentes excelentes de proteína. Pero si a usted no le agradan estos alimentos, tómese una de esas malteadas de soya que saben riquísimas y que venden en las tiendas de productos naturales, sugiere la Dra. Lieberman. "Son una manera fantástica de consumir proteína de alta calidad todos los días o unas cuantas veces a la semana".

Antes de que elija una malteada de soya, lea la etiqueta, aconseja el Dr. Gregory Burke, profesor de Ciencias de Salud Pública de la Universidad Wake Forest en Winston-Salem, Carolina del Norte. Si bien algunas marcas son bajas en grasas y contienen edulcorantes naturales, otras están atiborradas de azúcar y grasa.

Quiera a la quinua. Las semillas de esta planta, que parecen cuentas y son de color marfil, generalmente se comen como el arroz. Pero también puede cocerlas en jugo de fruta y comérselas de desayuno, puede usarlas como sustituto de arroz para preparar pudín (budín) o puede hacer una ensalada fría de quinua, frijoles (habichuelas) y verduras picadas. Gracias a su textura y sabor suaves, es fácil agregar quinua a otros alimentos, como sopas y platillos de pasta. Usted encontrará la quinua en las tiendas de productos naturales.

Deje que su mano la guíe. Para evitar comer demasiada carne de una sola sentada, utilice este lineamiento sencillo del Dr. Giampapa: no coma más carne de la que quepa en la palma de su mano. Y procure comer cuatro puñados de verduras por cada puñado de pescado o carne magra.

Prepare la carne al estilo oriental. Si usted agrega una pequeña cantidad de carne de res o puerco a un sofrito de verduras, podrá saborear el sabor de la carne al mismo tiempo que obtendrá una fracción de la grasa saturada y calorías que contiene, dice la Dra. Lieberman.

Adelante los antioxidantes

Los radicales libres atacan nuestro cuerpo 10,000 veces al día. Por si esto fuera poco, estas pequeñas moleculitas hacen hoyos en las membranas que rodean a las células para poder penetrarlas y derrotarlas.

Frente a esta embestida violenta de merodeadores malévolos, que están dispuestos a todo con tal de incapacitar nuestras células y generar mutaciones en nuestro ADN celular, a nuestro cuerpo le vendría bien algo de ayuda. Aquí es donde intervienen los antioxidantes. Estas vitaminas comunes, como la C y la E, y los minerales como el cinc y el selenio, neutralizan los radicales libres.

Lo mismo hacen los compuestos fitoquímicos, que son sustancias que se encuentran en las frutas, verduras y otros alimentos vegetales comunes. Al parecer, los compuestos fitoquímicos también luchan en contra de una plétora de enfermedades asociadas con la edad, desde la artritis hasta el cáncer.

Sólo por dar unos cuantos ejemplos, el ácido elágico, que es un compuesto que se encuentra en las bayas (entre las cuales las fresas y las zarzamoras contienen la mayor cantidad), puede ayudar a prevenir los cambios celulares que pueden conducir al cáncer. Se ha encontrado que la luteína, que se encuentra en las verduras de color verde oscuro como las espinacas y la col rizada, puede disminuir el riesgo de desarrollar degeneración macular a casi la mitad. El indol-3 carbinol, que está presente en el brócoli, el repollo (col) y otras verduras crucíferas, puede ayudar a prevenir el cáncer de mama y del cérvix.

En resumen, cada baya jugosa, flor de brócoli cocida al vapor o ensalada de espinaca que comemos ayuda a vestir a nuestro cuerpo con una armadura de nutrientes que disminuye el daño causado por los radicales libres. Por lo tanto, ayuda a prevenir las enfermedades asociadas con el envejecimiento. Sin embargo, antes de emplear estas guardaespaldas alimenticias, necesita conocer un poco más sobre ellas y la mejor forma de almacenar y prepararlas para tomar su revancha contra los radicales libres. A continuación nuestros expertos le ofrecen unos consejos al respecto.

Identifique —y mastique— los mejores. Primero que nada, tiene que saber cuáles alimentos deben llenar su carrito cuando vaya al súper (colmado). Afortunadamente, los científicos nos han facilitado la compra bastante. Resulta que unos investigadores del Centro Jean Mayer de Investigación en Nutrición Humana del Envejecimiento del Departamento de Agricultura de los Estados Unidos en la Universidad Tufts en Boston, analizaron 22 verduras comunes y luego calcularon la capacidad que tiene cada una de neutralizar los radicales libres. Entre las ganadoras se encontraron la col rizada, la remolacha (betabel), el pimiento rojo (ají, pimiento morrón), los repollitos (coles) de Bruselas, las flores de brócoli, la papa, la batata dulce (camote, *sweet potato*, *yam*) y el maíz (elote, choclo).

"Popéyese" para mejor cuidarse el coco. Considere comer más espinacas y también más fresas. Sus altos niveles de antioxidantes pueden prevenir o incluso revertir los efectos de los daños que causan los radicales libres en el cerebro, ayudando a que la mente se mantenga aguda conforme envejecemos, según otro estudio realizado en el Centro Jean Mayer de Investigación en Nutrición Humana.

Los investigadores alimentaron a 344 animales de laboratorio con extractos de fresa o espinaca, vitamina E o una dieta de control. Después de 8 meses, examinaron la memoria a largo y corto plazos de las ratas. Las ratas que diariamente consumieron el equivalente a una ensalada de espinacas grande mostraron un mejor desempeño cuando se les hizo correr por el laberinto que aquellas que recibieron una alimentación normal, el extracto de fresa o vitamina E. Sin embargo, en otras pruebas, tanto los extractos de espinaca y fresca como la vitamina E retardaron la aparición de las señales del envejecimiento en las ratas. Se especula que el extracto de espinaca, en particular, protegió diferentes tipos de células nerviosas en varias partes del cerebro contra los efectos del envejecimiento.

Prefiera la pureza. El aceite de oliva extra virgen prensado en frío (*cold-pressed extra-virgin olive oil*) contiene más antioxidantes y compuestos fitoquímicos que el aceite de oliva amarillo, dice la Dra. Lieberman. Esto se debe a que este aceite se extrae literalmente aplastando las aceitunas y no mediante técnicas que emplean calor y compuestos químicos.

Que no la desaliente el matiz verdoso de este aceite. "El aceite de oliva amarillo es amarillo porque ha sido procesado y calentado, lo cual le quita todo lo bueno", dice la Dra. Lieberman. Si bien el aceite extra virgen es más caro, también es más saludable (y según mucha gente, también es más sabroso) que las variedades más baratas.

Entre más morado, mejor. Si usted encuentra brócoli de color tan oscuro que está casi morado, métalo de inmediato a su carrito del súper. Ese color morado significa que viene atiborrado de betacaroteno. Si está amarillo, no lo compre, pues ya ha perdido sus nutrientes vitales.

Al vapor quedan mejor. Cueza sus verduras al vapor en lugar de hervirlas, aconseja la Dra. Lieberman. "El cocimiento al vapor permite que conserven sus antioxidantes y fitonutrientes", dice. Cuando usted hierve las verduras, todas sus sustancias protectoras se quedan en el agua.

Simplifique las ensaladas. ¿No tiene tiempo para pelar, rebanar y picar los ingredientes de la ensalada? Hágalo una vez a la semana, sugiere el Dr. Giampapa. Cada domingo, prepare un enorme recipiente de lechuga de color verde oscuro, junto con zanahorias, pimientos y otros ingredientes. Guárdelos por separado en bolsas de plástico o contenedores con cierre hermético para limitar su exposición al oxígeno.

EL HONGO "MÁGICO"

El emperador romano Nerón decía que los hongos eran el alimento de los dioses inmortales. Durante miles de años, los curadores de China y Japón han favorecido a una variedad en particular, llamada *maitake*, pues tienen la creencia de que encierra el secreto de la longevidad y la inmortalidad.

¿Hay algo de cierto en esto?

Según la ciencia moderna, quizá si lo haya. Los estudios de investigación sugieren que el *maitake* puede prolongar la vida al prevenir o tratar diversas enfermedades asociadas con el envejecimiento.

La fracción D del *maitake*, un extracto del hongo desarrollado por investigadores japoneses, parece "activar" ciertas células del sistema inmunitario (células T), que entonces pueden ayudar a combatir las células cancerosas. Los investigadores han hallado pruebas que sugieren que la fracción D del *maitake* (*maitake D-fraction*) puede ayudar a prevenir el crecimiento de tumores, evitar que el cáncer se propague de un lugar del cuerpo a otro y prevenir que las células normales muten para convertirse en células cancerosas.

El *maitake* también contiene compuestos conocidos como fracciones ES y X, los cuales, según estudios recientes realizados en la Universidad

¿Hay toxinas en su "sopita"?

Como mencionamos antes, nuestras células están llenas de una sopita de nutrientes y otras sustancias que en su conjunto se conocen como citoplasma. Ahí es donde la maquinaria celular produce energía, sintetiza proteínas y desarma los radicales libres.

Sin embargo, la alimentación típica de las personas que viven en los Estados Unidos hace que a las células se les dificulte obtener el combustible que necesitan para realizar estas funciones importantes, dicen los expertos en la conservación de la juventud. Los alimentos altos en grasas y azúcares y los alimentos procesados que contienen aditivos y conser-

de Georgetown, pueden ayudar a disminuir los niveles de azúcar y grasa en la sangre. En un estudio de laboratorio realizado en Japón, los alimentos enriquecidos con *maitake* disminuyeron significativamente los niveles de glucosa y triglicéridos en la sangre después de ocho semanas.

Para sacarle el mayor provecho al *maitake*, consuma la fracción D (disponible en cápsulas y tinturas), que es la forma más potente y activa, dice Shari Lieberman, Ph.D., una científica en nutrición y fisióloga del ejercicio de la ciudad de Nueva York. El *maitake* también se vende como té. Estas diversas formas de *maitake* están disponibles en las tiendas de comida *gourmet* y las tiendas de productos naturales. Los *maitakes* enteros se consideran como los más sabrosos de todos los hongos medicinales.

La fracción D del *maitake* se disuelve en agua caliente. Si usted va a hervir o cocer al vapor los *maitakes* enteros, la Dra. Lieberman sugiere que consuma el líquido en el que los haya cocinado o que los agregue a sopas, guisados (estofados) o salsas. Asimismo, no los sofría al estilo asiático, dado que los compuestos responsables de bajar los niveles altos de azúcar en sangre y la presión arterial alta se disolverán en el aceite que use para cocinarlos.

vantes le meten radicales libres a nuestro pobre cuerpo indefenso. Estas sustancias químicas se acumulan en nuestro cuerpo, debilitando gradualmente nuestra maquinaria celular.

Lo que es más, los alimentos azucarados y grasosos adornados con conservantes y aditivos tienden a convertirse en ácido en nuestra sangre, alterando el delicado equilibrio pH de nuestro cuerpo, dice el Dr. Giampapa. Una alimentación que constantemente incluye estos alimentos acidifica nuestra sopita celular, lo cual provoca que las células y tejidos envejezcan antes de tiempo.

Al igual que los carros funcionan mejor con combustible de alto octanaje, nosotras funcionamos mejor con alimentos que no contienen adi-

COMA MENOS, VIVA MÁS

Cada vez existen más pruebas de que quizá podamos prolongar nuestra vida sencillamente comiendo menos.

Los estudios hechos con ratones y ratas han demostrado que ambos viven un 30 por ciento más cuando consumen una cantidad 30 por ciento menor de calorías. Los estudios de laboratorio más recientes realizados en la Universidad Johns Hopkins muestran que seguir una alimentación baja en calorías y baja en grasas ayuda a mantener niveles más altos de deshidroepiandrosterona (*DHEA* por sus siglas en inglés), una "hormona de la juventud" que produce el cuerpo.

Los expertos no saben a ciencia cierta por qué comer menos parece retardar el envejecimiento. Pero el creciente conjunto de pruebas sugiere que al disminuir las calorías, también disminuye la producción de radicales libres en el cuerpo que aceleran el proceso del envejecimiento.

tivos y conservantes y que mantienen a nuestro cuerpo cerca de un pH neutro, dice el Dr. Giampapa. Estos alimentos son las frutas, verduras, legumbres y cereales integrales (¿Qué sorpresa, verdad?).

Rehabilite su alimentación

Entre más limpios y naturales sean los alimentos que comemos, mayor será la cantidad de nutrientes que llegará a nuestras células. . . y más probable será que funcionen de manera más eficiente, dice el Dr. Giampapa. Las estrategias siguientes pueden ayudarla a desintoxicar su alimentación.

Opte por las orgánicas. Haga un esfuerzo por comprar frutas y verduras cultivadas orgánicamente (es decir, sin sustancias químicas) siempre que pueda, dice el Dr. Goldman. Ahora es más fácil que antes encontrar frutas y verduras cultivadas orgánicamente, dice. "Muchos supermercados ahora venden frutas y verduras cultivadas orgánicamente junto a las variedades cultivadas comercialmente y algunas cadenas de tiendas de alimentos (como Fresh Fields, Bread and Circus y Whole Foods Markets) sólo venden alimentos orgánicos". Asegúrese de lavar las frutas y verduras orgánicas para quitarles la mayor cantidad posible de bacterias y polvo.

Cómprelos en caja. Si no puede encontrar frutas y verduras orgánicas, considere comprar otros productos orgánicos, dice la Dra. Lieberman. "Yo compro cereal orgánico, leche orgánica, jugo orgánico y huevos orgánicos —dice—. Si usted puede lograr que aunque sea el 20 por ciento de su alimentación consista en productos orgánicos, estará eliminando un 20 por ciento de la carga tóxica que tiene que soportar su sistema inmunitario".

Aleje los antojos de azúcar blanca. Cuando le dé un antojo irresistible por comerse un pedazo de pastel (bizcocho, torta, *cake*) o algún otro alimento azucarado y graso, "cómase una batata dulce (camote, *sweet potato*) fría —aconseja la Dra. Lieberman—. Puede que su dulzor natural sea suficiente para satisfacer su antojo por comer azúcar blanca". Si este truquito le funciona, hornéelas por montones y téngalas a la mano para esos momentos en que la ataque el antojo.

CABELLO

Cortes y colores que conservan el atractivo

Buenos cortes, malos tintes, productos extravagantes o caros. . . la mayoría de nosotras hemos pasado por la gama entera de experiencias en nuestra búsqueda del peinado perfecto. Luego, justo cuando pensábamos que habíamos ganado la batalla, nuestro cabello comenzó a cambiar. Durante o justo después de nuestra década de los 30 años de edad, "las canas" empezaron a atacar. Para empeorar las cosas, el cabello nos empezó a crecer más lento y comenzó a volverse más fino.

¿Y ahora qué?

Pues que ahora es tiempo de actualizar el peinado, para devolverle el brillo, la resiliencia, el color y la forma que hacían que su cabellera luciera tan bien hace apenas unos años.

Cómo encontrar su nuevo *look*

Cada mujer siente un poco de ansiedad, así como un poco de emoción, cuando está a punto de cambiar de peinado. Y por una muy buena razón. Quizá entre al salón como una persona y salga luciendo como otra totalmente diferente. La gente reaccionará ante ella un poco distinto a como había reaccionado antes. Y cuando se mire al espejo, conocerá a una persona nueva, una que espera que le agrade.

Puede terminar siendo una experiencia muy buena o muy mala. Aquí le enseñamos algunas cosas que puede hacer para que las probabilidades estén a su favor.

Evalúese de pies a cabeza. Su cabello es parte de un paquete, por lo que seleccionar un estilo que sólo complemente su cara puede afectar negativamente su apariencia global. No sólo debe considerar la forma de su cara, sino también su altura, su peso, su rutina diaria y qué tan hábil es usted para arreglarse el cabello, dice Victoria Meekins, vicepresidenta del Salón Kenneth's/KEB Associates del Hotel Waldorf-Astoria en la ciudad de Nueva York. La clave para conseguir un *look* fabuloso es determinar cuáles son los peinados que mejor se adaptan a usted de pies a cabeza.

Experimente e invente. Comprometerse con un corte o peinado no es como hacer una promesa de lealtad. "Sólo es cabello; siempre le volverá a crecer", dice el estilista Alex Ioannou, uno de los propietarios del Salón Trio en Chicago. En promedio, el cabello crece ½ pulgada (1 cm) por mes. Entonces experimente, pruebe cosas nuevas. Si no funcionan, siempre habrá una próxima vez.

Defínase. Incluso un estilista que la conoce bien no es clarividente. Sin ejemplos específicos, es posible que él no entienda a qué se refiere cuando le dice que quiere un nuevo corte más actual o que la haga verse más joven.

"Su opinión de lo que es atractivo y mi opinión de lo que es atractivo pueden ser dos cosas muy diferentes", dice Keith Ayotte, director creativo de Vidal Sassoon en Atlanta.

Entonces, piense un poco en qué es lo quiere *antes* de ir con el estilista.

Coleccione cortes. Cada vez que vea una fotografía de una modelo con un peinado o corte que le agrade, recorte la página. Empiece a hacer una colección. No se ocupe en pensar si alguno de estos estilos se le verá bien a usted. "Las fotografías me dan una idea más clara de lo que está buscando. Mi trabajo es hacer que el peinado o corte le funcione", explica Ayotte.

Forme una alianza más fuerte

La experiencia práctica y la capacitación constante ayudan a que los estilistas profesionales desarrollen un sentido agudo de qué le va a funcionar —o no— a un cliente. Su papel en esta transacción no es pasivo. Independientemente de que usted haya estado yendo con el mismo estilista desde hace años o que esté buscando a un estilista nuevo para que le ayude a actualizar su *look*, hay ciertas medidas que dicen los estilistas que usted puede tomar para facilitar el proceso.

Haga una cita para una consulta. No tiene que cortarse y peinarse el cabello cada vez que ponga un pie adentro de un salón de belleza. Probablemente se sentirá rara cuando salga de ahí sin haberse cortado el cabello, pero conseguir la opinión de un experto es un buen primer paso para darle una apariencia fresca y nueva a su imagen.

Déle una advertencia. Cuando ya esté lista para actualizarse, alerte a su estilista. Llámele un par de días antes de su cita y dígale al profesional que quiere probar algo nuevo. Su estilista probablemente estará emocionado de contar con esta oportunidad para ser creativo y le encantará la idea de tener algo de tiempo para buscar algunas opciones maravillosas.

Sea selectiva. Existen muchos tipos diferentes de salones de

A LO PRÍNCIPE VALIENTE: UNA SABIA ELECCIÓN

Ya sea que lo conozca como el corte al estilo de Dorothy Hamill, el peinado de muñeca de porcelana o un corte a lo Príncipe Valiente (de paje), de vez en cuando surgen nuevas variaciones de este corte de pelo y siempre se ven modernas y a la moda. Sin importar cuál sea la forma de su cara, existe una buena probabilidad de que alguna versión de este corte versátil se le vea absolutamente fabulosa. Este estilo clásico de un solo largo puede llegarle a los oídos, a la barbilla o un poco más abajo. Puede llevarlo con fleco (pollina, cerquillo, capul, flequillo) largo o corto, sin fleco o con el fleco más largo que el largo de atrás.

belleza. Vaya a uno donde sí sepan de estilos contemporáneos sin ser demasiado vanguardistas. Los que trabajan en salones de belleza modernos son más realistas. Ellos son los que saben cómo hacer que una tendencia de la moda sea utilizable.

Escoja con cuidado. Busque a un estilista con experiencia. Si tiene dudas, la recepcionista del salón le podrá hablar sobre los antecedentes del estilista con quien usted está pensando ir.

Relaciónese. Una vez que haya escogido a un estilista, manténgase con él. Alguien que la conoce le podrá dar consejos mucho mejores que un completo extraño. Cuando se aburra de su corte y tinte actuales, su estilista será su mejor aliado para escoger un nuevo *look*. Además, usted ya sabrá que puede confiar en su juicio.

Lo que debe y no debe hacer

Vivimos en una era de flexibilidad en lo que a tendencias de la moda se refiere. Usted puede optar por traer el cabello largo o corto, rizado o lacio, sin estar totalmente fuera de moda. No obstante, también existe la posibilidad de que termine con algo completamente inadecuado cuando esté tratando de actualizar su peinado. Aquí le damos algunas sugerencias para que no se aparte del camino correcto.

Sea fiel consigo misma. "Yo no creo que estar siempre al último grito de la moda es lo que hace que una mujer luzca más joven", dice Ayotte. Una puede prestar atención al largo, estilo y color populares, pero estos no deben dictar su elección. Sin importar el *look* que traigan las demás, opte por el que le funcione a usted. "Usted se verá hermosa, y cuando se vea hermosa, lucirá y se sentirá más joven", dice.

Aláciese esos rizos. Meekins pasó la década entera de los años 60 envolviendo sus rizos alrededor de latas de jugo y la década de los años 70 usando productos químicos para alaciarse el cabello. Esta residente de la ciudad de Nueva York lo probó todo y aun así, seguía batallando para controlar su cabello frisado; entonces optó por dejárselo al natural. Efectivamente le costaba menos trabajo arreglarse el cabello, pero había algo de su imagen que simplemente no le agradaba.

Finalmente, le preguntó a su estilista qué podía hacer al respecto. Su respuesta cándida le abrió los ojos, "Tus rizos apretados y cortos te hacen ver más vieja". Siguiendo el consejo del experto, ella se dejó crecer el cabello casi hasta los hombros y comenzó de nuevo a alaciárselo. Pero esta vez va al salón cada tres o cuatro días a que un profesional se lo alacie con la secadora en lugar de usar tratamientos químicos.

Pruebe rizos más largos. Cortarse el cabello para tratar de resolver un dilema de imagen es por demás una solución muy tentadora. De hecho, algunas mujeres creen que rebanarse la cabellera es un rito obliga-

SOLUCIONES PARA ZONAS PROBLEMÁTICAS

Un buen estilista puede desviarle la atención a las áreas problemáticas simplemente al cambiar la forma de su cabello, dice Frank Shipman, dueño y estilista de Technicolor Salon and Day Spa en Allentown, Pensilvania. Las "líneas de peso" (*weight lines*), que establecen fuertes "bordes" horizontales, pueden obrar maravillas. Una línea de peso es un lugar de su peinado que llama la atención y parece tener el mayor peso o volumen visual.

Una línea de peso puede hacer que se le definan las facciones. Considere, por ejemplo, una quijada no muy pronunciada debido la presencia de una papada. Para remediar este problema, una opción sería cortarse el cabello de un mismo largo, pero ligeramente más corto en la parte trasera. Otra opción es colocar más peso visual cerca de las sienes para dar la ilusión de que la quijada es más estrecha.

Otro buen uso de la línea de peso es desviar la atención lejos de un cuello poco menos que perfecto. En este caso, la línea de peso se coloca más alto, para que el cabello más grueso esté cerca de la corona, desviando así la atención del cuello.

torio para hacer la transición a la vejez. "Me vuelve loco que tantas mujeres crean el mito de que tienen que traer el cabello más corto conforme van envejeciendo", dice el dueño de un salón de belleza y estilista Frank Shipman de Technicolor Salon and Day Spa en Allentown, Pensilvania. "Traer el cabello a la altura de los hombros puede verse fabuloso si este tipo de corte le queda a usted".

Acepte su cabello. Largo, corto, grueso, delgado, lacio, rizado —cualesquiera que sean las características de su cabello— lo más probable es que usted quiera cambiar alguna de ellas. Pero los cambios no siempre son favorables. Encuentre un estilo que se adapte a la textura y patrones de crecimiento de su cabello. Usted quedará más contenta con el resultado.

Ioannou dice que al trabajar con su cabello y no en contra del mismo puede romper con los hábitos tan pasados de moda de ponerse tubos, usar fijador (laca) y hacerse crepé.

Peinados que complementan los anteojos

Primero tuvo que recuperarse del ataque que le dio cuando se enteró de que necesitaba usar anteojos (espejuelos) bifocales o que sus ojos se han debilitado a lo largo del último año. Ahora tiene que buscar entre una multitud de armazones para encontrar alguno que se adapte bien a su cabello, la forma de su cara y su personalidad.

Ayotte le explica por dónde comenzar.

La clave es equilibrar. La consideración principal es lograr un equilibrio entre el volumen y la forma de sus anteojos y su peinado. Identifique los elementos más destacados de su peinado y luego escoja un armazón que se adapte bien a ellos.

Combine los clásicos. Un peinado clásico, uno con el que no tiene que pasar horas frente al espejo arreglándose el cabello y donde todo el cabello es del mismo largo, se ve mejor con armazones que también han pasado la prueba del tiempo. Los anteojos sencillos redondos o cuadrados son buenas opciones.

Váyase al extremo. Un peinado dramático que está muy de moda exige unos anteojos que cumplan con estas mismas características. Por ejemplo, el fleco (pollina, cerquillo, capul, flequillo) que es más que un simple copete requiere de anteojos con líneas fuertes. Los anteojos ovalados, cuadrados con bordes triangulares o incluso los que parecen ojos de gato, como los que quizá usó cuando era niña, funcionan de maravilla.

Recójase el cabello. Un chongo clásico o una cola de caballo (coleta) en la nuca le permite escoger entre una gran variedad de armazones. Simplemente escoja un armazón que se adapte a la forma de su cara.

Repita la geometría. Si su cabello es rizado, elija anteojos que cumplan con este mismo motivo circular. Los armazones redondos u ovalados se le verán hermosos. Al contrario, los armazones cuadrados contrastarán demasiado con su cabello. Dado que incluso el cabello rizado corto tiene movimiento, elija un armazón que no tenga demasiados detalles.

Saque la cara. Los anteojos grandes cubren una parte bastante considerable de la cara. Esto no es un problema, siempre y cuando mantenga a su cabello bajo control. De otro modo, la gente preguntará, "¿Quién se anda escondiendo detrás de esos anteojos y todo ese cabello?" Una medida sencilla es cortarse el fleco largo.

Opciones coloridas

Toda nuestra vida nos han hecho creer que las canas marcan el fin de nuestra juventud. A principios de nuestra década de los 30 años de edad nos encontramos diligentemente buscando y arrancando esos presagios de la "vejez" y preocupándonos de qué es lo que nos espera a la vuelta de la esquina. Ciertamente, algunas de nosotras portamos nuestras primeras

DE MUJER A MUJER
Se olvidó de los tratamientos químicos

A Valerie Hoffman, una abogada de Chicago, le empezaron a salir canas cuando estaba en la universidad. Le encantó el efecto cuando era más joven, pero a medida que sus demás rasgos comenzaron a madurar, pensó que teñirse el cabello, que le llegaba a los hombros, quizá podría darle una apariencia más juvenil. Sin embargo, no fue sino hasta que le hicieron un corte de pelo fantástico y que regresó a su cabello canoso natural que Valerie descubrió que el cabello largo y teñido no era el camino que ella tenía que tomar para llegar a la fuente de la juventud.

De niña, siempre tuve el cabello de color castaño claro, pero cuando entré a la universidad, me empezaron a salir canas. ¡Yo estaba muy sorprendida! En realidad me gustaba el efecto que me producía el pelo blanco y cuando me hice abogada, ese aire de madurez que me conferían las canas me ayudó a ganarme la confianza de mis clientes.

Sin embargo, para cuando cumplí 28 años de edad, empecé a sentir que me veía demasiado vieja para mi edad. Naturalmente, pensé que algo que me ayudaría sería teñirme el cabello para volver a mi color original. Por desgracia, mi cabello no estuvo dispuesto a cumplir con su parte del plan.

Cada seis semanas, iba con mi estilista para que me tiñera el cabello. Pero entre una cita y otra, yo pasaba mucho tiempo practicando decanas como si fueran medallas de honor. Pero con el tiempo, la preocupación crece a medida que aparecen más y más.

Conforme vamos envejeciendo, las células del cabello producen menos pigmento, explica el Dr. Ivan Cohen, profesor de Dermatología de la Universidad Yale en New Haven, Connecticut. Primero, el cabello adquiere un color más claro, luego pasa al gris y finalmente al blanco. Este proceso varía —y a veces se detiene— dependiendo de su legado genético.

Tarde o temprano, todas nos empezamos a preguntar si es hora de agregarle un poco de tinte a nuestro cabello. Esta no es una decisión de

portes al aire libre y exponerme tanto al sol hacía que el color castaño se desvaneciera tanto que el cabello me iba quedando de un color rubio deslavado. Los cambios eran evidentes y no me favorecían en lo absoluto.

Me di por vencida. Era hora de pararle a las teñidas y yo quería una transición rápida que no implicara que me tuviera que hacer otro tratamiento químico para remover el tinte. Mi estilista me convenció que la manera de lograrlo era cortándome el cabello muy, pero muy corto.

La sola sugerencia me puso a temblar. Me encanta el cabello largo y temía que terminara luciendo como niño. Pero ya odiaba tanto el tinte que no me costó trabajo tomar la decisión. Cuando mi estilista terminó el corte, el cabello me medía más o menos 1 pulgada (2.5 cm) de largo.

¿Cómo me sentí cuando me miré al espejo?

El cabello se me veía fantástico y ahora, a la edad de 45, sigue luciendo fabuloso. El largo y el color blanco son una excelente combinación. Ya no me veo desaliñada y mis facciones finas no desaparecen bajo un mechudo de cabellos.

A fin de cuentas, estoy muy contenta con mi *look* actual. Y les deseo lo mismo a todas las demás mujeres. Atrévanse a dar el paso. Puede marcar una enorme diferencia.

todo o nada. De hecho, muchas mujeres inician este proceso con diversos tratamientos más sutiles: tintes semipermanentes, rayos (claritos, destellos), luces, transparencias (*blending*) y *foils*, una técnica que emplea papeles de aluminio. Lo mejor del tinte es que una siempre puede cambiarlo, aunque nunca puede regresar a su color natural.

Ocúltelas. Usted probablemente ya ha visto a los *foils* en acción en su salón de belleza favorito. Las mujeres que reciben este tratamiento tienen mechones de cabello apuntando hacia todas partes con lo que parecen ser tiras de papel de aluminio envueltas en la base de cada sección. No se ría. . . ¿recuerda cómo nos veíamos con esas gorras espantosas con mechones delgados de cabello saliendo por los pequeños hoyitos de la gorra? Los papeles de aluminio no nos lastiman el cuero cabelludo como los ganchos para tejer que se usaban para jalar el cabello por los hoyos de la gorra.

En lugar de teñir cabellos separados, la técnica de los papeles de aluminio permite teñir mechones más grandes. El tinte se aplica más cerca de la base, entonces no es necesario hacerse retoques con tanta frecuencia y existe más control sobre el lugar donde se aplica el tinte. Según Meekins, los papeles de aluminio también permiten que se apliquen dos, tres y hasta cuatro tintes diferentes para que el resultado sea un efecto más natural.

Enfréntese a la realidad. Volver al tinte que usaba en la adolescencia o cuando tenía veintitantos años es un error. Como el color de su piel se ha aclarado, es posible que no le quede bien ese tinte más oscuro. Úselo sólo como punto de referencia para escoger alguno que sea uno o dos tonos más claro, sugiere Shipman. También tenga presente que los tintes cálidos generalmente favorecen más. Los tonos se reflejan sobre la cara para darle un cierto brillo, en lugar de opacar su tez, como tienden a hacer los tintes de tonos fríos.

Arriésguese al máximo. Cuando sea momento de aventarse por la cobertura total, considere los beneficios. Usted tendrá un cabello más suave y brillante que hará resplandecer su cara. "Entintarse todo el cabello no es una cosa terrible. Realmente puede ser una experiencia muy estética", dice Shipman.

Recuerde su pasado. Los rayitos y las luces dan la ilusión de que su cabello tiene más forma y le brindan una apariencia más joven, dice Meekins. Ese tono soleado que su cabello adquiría durante los veranos de su juventud sugiere que los rayitos podrían hacer maravillas con su cabello actual.

Siga resplandeciendo. Si usted sigue cuestionando las ventajas de teñirse las canas, considere sus beneficios ocultos, sugiere Meekins. Los procesos de teñido agregan cuerpo, dimensión, brillo, suavidad y textura, es decir, todas aquellas cosas que no posee el cabello canoso.

Empiece paso a pasito. Cuando le empiecen a salir sus primeras canas, trate de usar procesos que cubran las canas en lugar de aquellos que le quitan pigmento al cabello. La cobertura no será total, pero las canas sí se camuflajearán al mezclarse con su color natural. Esto es precisamente lo que hace un tinte semipermanente al depositar tinte sobre el cabello. Al principio, quizá quiera agregarle un poco de color para darle más brillo a la base. "Esto es como un primer paso para que le sea más fácil entrar de lleno a los procesos de teñido permanente", dice Ayotte.

Las canas también pueden ser atractivas

Teñirse el cabello no es la única manera en que puede vigorizar su apariencia, especialmente si su cabello canoso o blanco es del color perfecto para la tez mas clara que ha ido adquiriendo en años recientes. Esto no significa que está condenada a verse más vieja de lo que se siente. El cabello canoso o blanco que tiene brillo y se ve sano puede hacerla lucir como una mujer llena de vitalidad.

Pruebe el azul celeste sin que le cueste. El matiz amarillento y la opacidad que afectan el cabello canoso o blanco pueden eliminarse con una sola lavada. Meekins dice que los champúes que tienen una base violeta o azul hacen que su cabello se mantenga claro y vibrante.

Póngase proteínas. Los acondicionadores que contienen proteínas y vitaminas le pueden dar volumen a su cabellera al instante. El cabello absorbe la proteína y luego se hincha, lo cual lo hace lucir más grueso. El efecto no durará para siempre, dice Meekins, pero es una forma excelente de agregar volumen. Los rocíos (*spritzers*) y otros productos para estilizar el cabello que contienen queratina (*Keratin*), la cual es una proteína, le confieren fuerza y brillo al cabello. La queratina también ayuda a resolver el problema del cabello quebradizo que a menudo se presenta en el cabello tratado, agrega Meekins.

Los productos que tienen una base de silicona también le confieren brillo al cabello, pero no tanto como la queratina. Quizá también quiera considerar la opción de que le apliquen abrillantadores e intensificadores en el salón.

CIRUGÍA ESTÉTICA

Cuente con la ciencia para mejorar su apariencia

Si todas nos quedáramos encerradas nuestra vida entera y nunca usáramos nuestro rostro para mostrar emociones al sonreír, reír o llorar, nuestra cara probablemente podría soportar los rigores de la edad y el clima mucho mejor de lo que lo hace.

Pero esto dista mucho de ser la realidad. Salimos al sol, mostramos nuestros sentimientos y los años cobran su precio. Para cuando llegamos a nuestra década de los 30 o principios de los 40 años de edad, ya han comenzado a aparecer las primeras señales de la vejez y se presentan en todas y cada una de las partes de nuestro rostro. A continuación explicaremos cómo estas se desarrollan en distintas partes del cuerpo.

Los ojos. Se desarrollan líneas delgadas a los lados y debajo de los ojos. Los párpados superiores e inferiores se abolsan, haciéndola lucir cansada, incluso aunque últimamente haya estado durmiendo como bebé. Sus cejas pueden parecer estar más abajo que antes.

La boca. Se desarrollan líneas verticales alrededor de la boca y las esquinas de la boca pueden empezar a apuntar hacia abajo, dándole a su cara una expresión de infelicidad perpetua. Sus dientes pueden verse opacos, como si fueran una pared sucia que necesita con urgencia una manita de pintura fresca.

Las mejillas. Sus mejillas, que solían ser rellenitas y rosadas, pueden perder su color y su forma. La piel excedente puede empezar a colgarse desde sus pómulos y formar una especie de papada. Si usted ha hecho ejercicio toda su vida y se ha mantenido en un buen peso, quizá se vea demacrada, con los cachetes chupados y ojos que parecen hundirse hacia el interior de su cara.

La nariz. Puede que su nariz parezca más grande, con la punta más gruesa y más baja que en su juventud.

El cuello. La piel de su cuello puede empezar a verse estirada en el centro y que cuelga a los lados, dándole esa temida apariencia de pavo (guajolote) que quizá recuerde de las ancianitas que cantaban en el coro de la iglesia.

Lo que puede hacer

Si bien hay que admitir que estas lindas ancianitas de su iglesia entonaban con entusiasmo los himnos, lo cierto es que no eran *sexy*, ni parecían atléticas y ni siquiera considerarían competir a un nivel profesional con mujeres u hombres más jóvenes. En el mundo actual, las mujeres llevan vidas activas incluso hasta que llegan a su década de los 60, 70 e incluso los 80 años de edad. Quieren tener un rostro y un cuerpo que refleje su actitud juvenil ante la vida, dice el Dr. Paul Carniol, un médico de Summit, Nueva Jersey que se dedica a la cirugía plástica reconstructiva, estética y con rayo láser.

Una mujer cuyo rostro se ve demacrado y arrugado a los 45 años de edad no puede convertirse mágicamente en una modelo veinteañera de trajes de baño. Pero definitivamente puede tomar medidas para que se vea como una mujer fresca, vivaz y energética en su década de los 40 años de edad. Una de dichas medidas puede ser la cirugía estética, dice el Dr. Carniol.

"Yo les digo a las mujeres que piensen en cómo se ven para su edad, cómo se sienten para su edad y qué hacen a su edad —dice—. Las mejores candidatas para los procedimientos cosméticos y cirugía estética son las que dicen, 'Quiero verme lo mejor que pueda para mi edad'. Esa es una meta que sí se puede alcanzar".

Por dónde empezar

Un buen dermatólogo o cirujano plástico se sentará con usted para hablar de *sus* propias áreas de inquietud y no supondrá que ya sabe lo que más le conviene a usted.

"Si una mujer entrara a mi consultorio con una rana en la nariz, yo de cualquier modo le preguntaría, '¿Y qué la trae por acá hoy?" dice la Dra. Patricia S. Wexler, una dermatóloga cosmética de la ciudad de Nueva York.

No deje que un médico la convenza de que se opere los párpados si lo que más le molesta son las cicatrices del acné que tiene en las mejillas y que se han ido haciendo más notorias con los años, aconseja la dermatóloga.

Estas son algunas maneras para asegurarse de que su primera visita al consultorio del doctor sea fructífera.

Desempolve sus álbumes de fotos. Una consulta estética no es como un corte de pelo. No lleve a la consulta una fotografía de la Salma Hayek para pedir que la conviertan en ella. En vez, seleccione algunas fotografías de usted misma que muestren cómo ha ido evolucionando: una de sus años de escuela secundaria (preparatoria), unas cuantas de cuando estaba en su década de los 20 años y quizá otra que muestre su cara cuando apenas estaba entrando a su década de los 30 años de edad. Esto le ayudará al médico a ver cuáles son los elementos de su rostro que quizá se hayan ido ocultando con la edad, dice el Dr. Carniol.

Hable de resultados. Algunas pacientes llegan al consultorio con un cierto procedimiento (por ejemplo, un estiramiento facial o *face-lift*) o tecnología (rayo láser o ultrasonido) en mente. Sin embargo, hay veces que existen métodos menos invasores y menos costosos con los que podría obtener los mismos resultados que está buscando, señala el Dr. Carniol. Enfóquese en el resultado deseado, pero pídale su opinión al médico sobre las diversas formas con las que podría obtenerlo.

Entreviste al médico. Pregúntele qué porcentaje de su consulta está dedicada al trabajo estético y cuántos procedimientos ha realizado. Averigüe si está capacitado para realizar los procedimientos más nuevos y si se los enseña o no a otros médicos. Recuerde que las fotografías de antes y después que le van a mostrar son las que reflejan los mejores resultados y no los resultados promedio que ha obtenido el cirujano, dice el Dr. Carniol.

Considere a un médico interdisciplinario. En general, los dermatólogos están capacitados para trabajar sobre la piel, realizando procedimientos tales como los *peels* y la ablación de la piel con láser (*laser resurfacing*), así como en el uso de rellenos (*fillers*), como colágeno y grasa. Los cirujanos plásticos se asocian más con los estiramientos faciales, los *brow-lifts* (es decir, operación que se realiza para levantar las cejas) y la blefaroplastia (cirugía para quitar las bolsas de los párpados). Sin embargo, en el mundo de la cirugía estética, la raya que divide a estos dos tipos de especialistas ya ha perdido definición. Los dermatólogos han sido unos de los pioneros de la liposucción. La mayoría de los cirujanos plásticos se han convertido en expertos con el rayo láser.

En cualquier caso, asegúrese que su médico haya sido certificado por el consejo correspondiente a su campo. Usted puede usar dos libros de referencia que se encuentran en muchas bibliotecas públicas para encontrar a una lista por estado y ciudad de cirujanos plásticos certificados por el consejo: *The Directory of Medical Specialists* (El directorio de especialistas médicos), publicado por Marquis Who's Who, y *The Compendium of Cer-*

tified Medical Specialists (El compendio de especialistas médicos certificados), publicado por el Consejo de Especialidades Médicas de los Estados Unidos (en inglés, The American Board of Medical Specialties).

Considere los riesgos. Sopesar los riesgos y beneficios de la cirugía es incluso más importante cuando se trata de cirugía estética que en el caso de operaciones médicamente necesarias, dado que estos procedimientos sólo han sido diseñados para que usted esté más contenta con su apariencia, no para curar una afección. Las complicaciones serias de la anestesia pueden ser mortales. Los riesgos posibles de la cirugía estética incluyen infecciones, cicatrices y pérdida de sensación temporal o incluso permanente. Su doctor deberá ser quien saque estos temas a la conversación y usted deberá firmar una forma que indica que usted entiende estos riesgos antes de someterse incluso al menor de todos los procedimientos quirúrgicos, dice el Dr. Carniol.

Haga planes. Usted deberá salir del consultorio del médico con un plan detallado que atienda sus inquietudes y refleje la cantidad de tiempo y dinero que usted está dispuesta a gastar, dice el Dr. Carniol. El médico también le deberá explicar las complicaciones posibles, el tiempo de recuperación y los cuidados que necesitará cuando se esté recuperando.

Explore las posibilidades

En la actualidad, la cirugía estética ofrece una enorme gama de opciones a las pacientes que quieren lucir más juveniles y vigorosas. Desde la parte superior de su frente hasta el cuello, debe tomar decisiones sobre cuáles son los rasgos que quiere mejorar, cuál es el método más invasor que está dispuesta a tolerar, cuánto tiempo tiene para estar en recuperación y cuánto dinero quiere gastar.

Para que no se confunda o agobie cuando esté haciendo planes con su cirujano, antes de entrar al consultorio, familiarícese con algunas de las posibilidades que quizá le vaya a sugerir.

Perfeccione sus párpados. La blefaroplastia es una cirugía menor en la que se extirpan la piel y grasa excedentes de los párpados superiores e inferiores. La incisión se oculta en el pliegue de los párpados. Si se le ha afectado la vista porque sus ojos se han oscurecido a causa de los párpados hinchados, es posible que su seguro de gastos médicos cubra el procedimiento, dice el Dr. Sterling Baker, un cirujano oftalmológico de Oklahoma City. El costo promedio de una blefaroplastia de los párpados superiores e inferiores es de alrededor de $3,000 dólares.

Contrólese el ceño. Uno de los desarrollos más revolucionarios en años recientes en el campo del rejuvenecimiento cosmético ha sido la creciente popularidad del *Botox*, que es una forma altamente diluida de la toxina botulínica A. El *Botox*, que se inyecta en los surcos profundos ("arrugas del ceño o entrecejo") que salen a la mitad de la frente y en las patas de gallo que aparecen en los bordes de los ojos, paraliza temporalmente a ciertos grupos de músculos que hacen que las expresiones faciales se conviertan en arrugas.

Estas inyecciones tienen que repetirse cada cuatro a seis meses y pueden provocar algo de amoratamiento. Pese a las cosas terribles que quizá usted recuerde haber escuchado sobre el botulismo, el *Botox* emplea dosis extremadamente pequeñas y seguras. El efecto secundario más serio, aunque poco común, es que se caigan las cejas, dice la Dra. Wexler. Usted tendrá que pagar de $400 a $600 dólares por cada tratamiento de inyecciones de *Botox*.

Estírese un poco. Mediante el uso de instrumentos que permiten que sólo se hagan incisiones mínimas, los cirujanos pueden entrar por debajo de la piel para apretar los músculos o estirar la piel de su frente, cejas o incluso del centro del rostro o cuello sin someterla a los rigores de un estiramiento facial completo. En muchos casos, este procedimiento puede ser suficiente para resolver sus problemas estéticos. Un estiramiento facial endoscópico de excisión mínima (*minimal excision/endoscopic facelift*) cuesta alrededor de $5,000 dólares.

Estírese mucho. Un estiramiento facial completo, llamado ritidectomía (*rhytidectomy*), estira la piel holgada de la papada, las mandíbulas y el cuello. Las cicatrices se ocultan alrededor del oído o en el perfil del cuero cabelludo y los resultados a menudo se combinan con liposucción, ablación de la piel con láser o ambos para remediar los problemas que no se pueden resolver mediante sólo un estiramiento facial, como por ejemplo, grasa excedente en la cara y el cuello, arrugas superficiales y piel manchada o dañada por el sol. Un estiramiento facial tradicional cuesta aproximadamente $4,800 dólares.

Recurra al relleno. Mientras que alguna vez las mujeres optaron por los estiramientos faciales extremos en los que les jalaban la piel tanto que parecía que se acababan de bajar de una moto que iba a 200 kilómetros por hora, los cirujanos de hoy en día están respondiendo a la inquietud de muchas mujeres de hacerse un cambio menos radical.

En muchos casos, esto se traduce en el uso de substancias para rellenar las regiones de la parte inferior de la cara que se han ahuecado y han perdido su llenura juvenil. En general, estas regiones pueden ser los pliegues profundos que corren desde el borde externo de las ventanas de la nariz hasta el borde de los labios (los pliegues nasolabiales), quizá unos labios que se han hecho más delgados o una barbilla estrecha, o bien, las mejillas, desde su parte media hasta la parte externa.

"Un estiramiento facial estira. No rellena", dice la Dra. Wexler, quien a menudo utiliza rellenos para devolverles la llenura a los cachetes.

Cuando se trata de rellenos, las opciones cada vez son más numerosas. La Dra. Wexler frecuentemente selecciona la alternativa más simple y segura: la propia grasa de la paciente. Para hacer esto, ella realiza dos procedimientos a la misma vez, mediante los cuales succiona la grasa propia de las caderas, muslos o abdomen de la mujer y utiliza un poco de esta grasa para rellenar las áreas que les vendría bien "engordar" un poquito.

La grasa que sobra se congela para usarse posteriormente mediante inyecciones mensuales. Después de un año de tratamientos, la Dra. Wexler garantiza que el 30 por ciento de la grasa inyectada permanecerá de forma permanente, y esto casi siempre es suficiente para rellenar los surcos y hendiduras. El precio promedio de una consulta para inyecciones de grasa en la cara y el cuello es de alrededor de $1,000 dólares.

Infle sus cachetes. Irónicamente, las mujeres que se mantuvieron en la mejor condición física durante su juventud a menudo son las que más temprano padecen los efectos devastadores del envejecimiento, dice la Dra. Wexler. Esto se debe a que conforme pasan los años, se pierde el tono muscular y la grasa en la cara, y la piel no se retrae sino que cuelga sobre los huesos faciales como si fuera una tienda de campaña a medio desmontar colgando de los postes.

Cuando se requiere más bulto, los médicos recurren a varios productos, muchos de los cuales se pueden cortar o enrollar para que se adapten bien sobre la depresión que se va a rellenar. El *Gore-Tex* es uno de tales materiales; otro se conoce como *AlloDerm*, un producto natural derivado de células epidérmicas humanas esterilizadas que han sido tratadas para eliminar todas las células que podrían transmitir enfermedades, dejando sólo la red estructural de la piel.

El *AlloDerm* se puede enrollar para rellenar los labios o se puede doblar a la mitad para nivelar una cicatriz de acné o de varicela. Un tipo de *Gore-Tex* viene en hilos para rellenar las arrugas largas. Otros rellenos se derivan del colágeno bovino (de vaca) o de colágeno cultivado a partir de muestras de su propio tejido procesadas en un laboratorio especial. El costo de los rellenos y su colocación varía mucho. Las inyecciones de colágeno cuestan $345 dólares en promedio por sitio.

"Pélese". Quizá los médicos o cosmetólogos (especialistas en la piel que están capacitados para realizar algunos de los procedimientos menos complicados, como la depilación con láser o los *peels* ligeros con sustancias químicas) le recomienden que se haga un *peel* con sustancias químicas que pueden ser de varios tipos. Los *peels* que se hacen con ácido glicólico (*glycolic acid*), ácido tricloroacético (*trichloracetic acid* o *TCA* por sus siglas en inglés), ácido salicílico (*salicylic acid*) y fenol (*phenol*) se aplican sobre la cara y quizá sobre el cuello, el pecho y las manos, durante un período breve. Se emplean ventiladores, compresas de hielo y a veces anestesia local para disminuir la irritación inmediata; se le formará una costra de piel y luego esta costra se desprenderá dentro de los días siguientes para que su piel tenga una superficie más suave y uniforme. El costo promedio de un *peel* con sustancias químicas es de $1,600 dólares.

Líjelas con láser. Embelesadas por *La guerra de las galaxias* y los espectáculos de luces de los planetarios, muchas mujeres creen que el rayo láser es virtualmente mágico, capaz de eliminar las arrugas en un abrir y cerrar de ojos sin tener que pasar por el trauma de una cirugía plástica.

La verdad es que hay muchos tipos diferentes de láser. El láser de erbio-YAG (*Erbium-YAG laser*) puede alisar las arrugas finas que están cerca de la superficie de la piel y hacer más uniformes los tonos de piel irregulares, produciendo resultados similares a aquellos de un *peel* medianamente fuerte. El láser más potente de dióxido de carbono (*carbon dioxide laser*) puede borrar las arrugas más profundas y los daños causados por la exposición a la luz solar, pero tiene su precio. La quemadura que produce dicho láser tarda semanas en sanar y el enrojecimiento que le sigue puede durar hasta un año. La ablación de la piel con láser en toda la cara cuesta alrededor de $2,800 dólares.

También puede pulirse la piel. Una nueva técnica, la microdermabrasión, llegó recientemente desde Europa al campo de la estética de los Estados Unidos. Esta técnica, que se conoce por diversos nombres, como *Parisian Peel*, *Power Peel* y *Derma Peel*, pule delicadamente el cutis con una máquina que sopla partículas abrasivas purificadas hacia la piel y luego las aspira para removerlas. La microdermabrasión es virtualmente indolora y se puede realizar rápidamente y sin anestesia. Su piel se verá un poco rosada, pero podrá regresar a sus labores o actividades normales de inmediato. Generalmente se realiza una serie de cinco o más sesiones cada una o dos semanas, seguidas por algunas sesiones mensuales. El costo de la microdermabrasión varía, pero lo más probable es que tenga que pagar de $100 a $200 dólares por tratamiento.

Procedimientos para sus piernas

Por supuesto, los efectos del envejecimiento no sólo hacen su aparición en el rostro y, a veces, los problemas que más afectan nuestra apariencia se presentan muy por debajo de la barbilla. Los cirujanos estéticos también la pueden ayudar en esas áreas.

Esculpa sus curvas. ¿Su bikini ha pasado la última década guardado hasta el fondo de su cajón de pijamas? Aun con ejercicio y una alimentación sana, la mayoría de las mujeres encuentran que esos kilitos de más se empiezan a encariñar con áreas problemáticas conforme se van acercando a la edad madura. La liposucción puede ayudar a eliminar esos bultos obstinados en sus caderas, muslos, costados, abdomen y espalda superior.

"La liposucción no sustituye a la pérdida de peso, pero sí le contorneará el cuerpo. Le devolverá sus curvas —dice el Dr. Carniol—. Puede mejorar significativamente el contorno de las personas que presentan un sobrepeso moderado y que no han podido bajar de peso a través de cambios en su alimentación y el ejercicio".

Debe buscar a un cirujano que tenga tanto experiencia en liposucción como un enfoque tridimensional y de cuerpo entero. De otro modo, si aumenta de peso, este se le acumulará en aquellas áreas donde no le hayan hecho liposucción, dice el Dr. Carniol. La liposucción de una sola área del cuerpo cuesta alrededor de $1,800 dólares.

Aplaste a las arañas. Aunque sus piernas estén en perfecta forma, quizá no quiera usar *shorts* debido a estas diminutas rayitas rojas o moradas que se ven cerca de la superficie de la piel y que se conocen como arañas vasculares. Un doctor puede inyectarle una solución especial para que las arañas vasculares se desvanezcan. Este procedimiento se conoce como escleroterapia.

Este procedimiento hace necesario que tenga que usar medias elásticas, incluso después de que le hayan quitado las vendas. La escleroterapia cuesta $300 dólares en promedio. Algunos médicos están usando rayos láser especiales que eliminan el pigmento de las arañas vasculares; este procedimiento probablemente le costará más, o sea, alrededor de $500 dólares.

HISTORIA VERDADERA
Quiere hacerse la liposucción pero no le conviene

En dos semanas, Margarita va a cumplir 40 años de edad y se va a dar un regalo de cumpleaños: unas piernas hermosas. Ella se ha estado diciendo desde hace mucho que se va a deshacer de esos bultitos de más que tiene en la cadera y muslos —especialmente esos hoyuelos de celulitis— con un régimen estricto de dieta y ejercicio. Pero Margarita no cumple muy bien con los regímenes estrictos de nada y la temporada de playa está a la vuelta de la esquina. Ya se compró una hermosa cinta (huincha, banda) y quiere presumirla. Pero esta decidida a que si sus piernas no están perfectas entonces no la usará, y especialmente frente a su marido, pues teme que él ya está perdiendo su interés por ella. Entonces se dirige al consultorio del cirujano plástico para que le haga una liposucción y le quite esos hoyuelos. Todas las estrellas del cine lo hacen. ¿Por qué no habría de hacerlo ella? Es tan fácil como contar hasta tres, ¿o no?

Margarita empezó con el pie derecho con su programa de dieta y ejercicio, y si se apega a él, definitivamente mejorará su apariencia. Pero por diversas razones, ella no es el tipo de candidata para la liposucción que la mayoría de los cirujanos prefieren tratar.

Es poco probable que las personas con sobrepeso crónico alcancen resultados maravillosos y permanentes, sencillamente porque es muy probable que vuelvan a aumentar de peso después del procedimiento y que la grasa se le vuelva a depositar. . . usualmente en las áreas

Soluciones para una sonrisa de marfil

Usted no fuma y diariamente se cepilla los dientes, utiliza hilo dental y enjuague bucal y va al dentista dos veces al año. ¿Entonces por qué se le ven manchados los dientes?

"Los dientes se oscurecen con la edad", explica Stephen H. Fassman, D.D.S., un dentista y cirujano del Centro Médico de la Universidad de Nueva York en la ciudad de Nueva York.

aledañas, aunque también puede regresar a las áreas que ya habían sido liposuccionadas. Las peores candidatas son aquellas que constantemente suben y bajan de peso.

Margarita tiene otro problema: le cuesta trabajo seguir regímenes estrictos. La liposucción es un procedimiento quirúrgico que exige un cumplimiento estricto de las órdenes del doctor, antes, durante y después de la cirugía. No seguirlas podría poner en peligro la salud de Margarita.

Margarita también podría quedar insatisfecha con los resultados. La liposucción puede eliminar las bolas de grasa testarudas y darle un mejor contorno a la figura, pero no siempre sirve para deshacerse de la celulitis, la cual es un fenómeno normal y natural en las mujeres de más de 30 años de edad.

Sin embargo, el peor error que salta a la vista en la historia de Margarita es su esperanza de que la liposucción quizá pueda reavivar el interés que tiene su esposo en ella. Quitarse la grasa de sus muslos no le dará una vida feliz. A lo mucho, le dará un empujoncito a su autoimagen.

EXPERTA CONSULTADA
Dra. Patricia S. Wexler
Dermatóloga estética
Ciudad de Nueva York

Para devolverle el brillo a su sonrisa, quizá quiera considerar blanquearse los dientes. Si desea probarlo, aquí le decimos cómo lograrlo.

No vaya a la farmacia. Digan lo que digan, las empresas no tienen permitido vender productos sin receta que sean lo suficientemente fuertes como para blanquear los dientes de manera significativa, dice el Dr. Fassman. Las verdaderas fórmulas para blanquear los dientes son consideradas como fármacos por la Dirección de Alimentación y Fármacos (*FDA* por sus siglas en inglés). Tienen que ser dispensadas por un dentista, dice él.

Por lo tanto, comience en el consultorio. En una sola consulta, su dentista le puede desmanchar los dientes con un blanqueador que los aclarará desde medio hasta un tono.

Luego, siga blanqueándose en casa. Le darán guardas bucales de plástico suave que se colocan encima de los dientes superiores e inferiores. Una a dos horas cada noche durante dos a cuatro semanas, tendrá que llenar la guarda con un gel blanco y pegajoso que le dará su dentista y tendrá que colocarse las guardas encima de los dientes.

"Al cabo de unos días, el cambio será notorio. Sus dientes deberán estar al menos tres tonos más claros ya hacia finales de la segunda semana", dice el Dr. Fassman.

"En cuanto a métodos, el blanqueo en casa generalmente es la primera elección —dice el Dr. Fassman—, pero a algunas personas les gusta combinar un blanqueo en el consultorio con el gel que se usa en casa". El costo total de blanquearse los dientes fluctuará entre $450 y $1,000 dólares, dependiendo de los métodos que use.

Sugerencias para ayudarla a decidirse

Ahora que conoce las posibilidades, ¿cómo escogerá las que sean correctas para usted? Estos son algunos factores que deberá considerar.

Haga su propia combinación. Quizá encuentre que no puede satisfacer todas sus necesidades con un solo procedimiento. A menudo, es más eficaz combinar métodos, dice la Dra. Dee Anna Glaser, profesora de Dermatología de la Universidad de St. Louis, Misuri. Ella toma en cuenta muchos factores cuando se trata de decidir cuáles son los métodos que se deben emplear para devolverle la juventud al rostro de una mujer.

Si sus arrugas más profundas son las líneas verticales que tiene sobre su labio superior, quizá quiera considerar tratarse esa área con láser y luego usar un *peel* de TCA medianamente fuerte en el resto de la cara y cuello para que su piel adquiera un tono uniforme y quede con una apariencia suave, brillante y juvenil, dice la Dra. Glaser.

Cuidados posteriores. Un *peel* requiere de cuidados durante las fases en que la piel secreta líquido y se le forma la costra. "A algunas mujeres, la sola idea les da asco o simplemente no están dispuestas a seguir muchas instrucciones", dice la Dra. Glaser. Para ellas, quizá sea mejor un tratamiento de rejuvenecimiento con láser, aunque su piel tardará más en sanar, dado que se aplica una curación sintética sobre toda la cara y luego una enfermera tiene que cambiársela en el consultorio.

Déle tiempo. Un procedimiento de ablación de la piel con láser generalmente va seguida de un período de recuperación de dos semanas completas, durante el cual no querrá que la vean en público. Muchos procedimientos de cirugía plástica también hacen necesario que usted tenga que quedarse en casa durante períodos considerables hasta que los moretones (cardenales, magulladuras) y las cicatrices sanen lo suficiente como para poderlos cubrir con maquillaje de camuflaje. Algunas mujeres prefieren comprometerse con un número de procedimientos menores como microdermabrasión, inyecciones de Botox o *peels* ligeros hasta que su vida sea lo suficientemente tranquila como para que puedan considerar un paso más drástico. Otras quieren que les hagan todo de un solo jalón. "Quizá quieran que les hagan todo rápidamente para quedar listas antes de la boda de su hija", dice la Dra. Glaser.

Piense bien en el precio. Un estiramiento facial, blefaroplastias superior e inferior, una ablación de la piel con láser de la cara completa con un *peel* del cuello, pecho y manos seguro que dejaría hasta la más anciana de las ancianas luciendo como una mujer hermosa y radiante. Pero el precio que tendría que pagar sería de casi $12,000 dólares.

"Antes de que haga cualquier cosa, pregúntese, '¿Qué es lo que realmente quiero? ¿Qué es lo que realmente me va a hacer sentir mejor?'" sugiere el Dr. Carniol. Quizá la cirugía estética le dé un *look* más juvenil que bien valga su precio. Pero también cabe la posibilidad de que su verdadero deseo sea relajarse a bordo de un crucero por el Mediterráneo. Por lo tanto, sopese bien sus opciones para determinar qué es lo que más le conviene.

COLOR

Utilícelo a su favor

A principios de la década de los años 80, una podía entrar a casi cualquier tienda de ropa y encontrar a una mujer escudriñando los aparadores en busca de colores que combinaran con su "estación". Era la época de la revolución del color en la moda, iniciada casi exclusivamente por un libro escrito por una experta en belleza llamada Carole Jackson.

Con ese libro, la teoría del color se convirtió en información del dominio público, pues en él se mostraba que usar los colores correctos podía hacer que cualquiera luciera de maravilla. Al evaluar los matices de fondo de su piel, una mujer podía clasificarse en uno de los tipos de color: invierno, primavera, verano u otoño y luego aprender a usar, para su propio provecho, los colores que mejoraban su imagen.

El concepto está fundamentado. El color puede darle energía y vitalidad a su apariencia. Y una vez que aprenda cómo, podrá aplicar el concepto a su guardarropa completo.

Consejos coloridos

Si a usted alguna vez le han "sacado sus colores", como dice la expresión, entonces ya sabe que usar los colores correctos cerca de su cara es como hacerse un estiramiento facial y un *peel* a la vez. Pero si los colores que usted usa no la favorecen, cualquier imperfección que tenga se le va a notar más. Incluso si trae puestos unos *shorts*, el color equivocado hará que resalten las imperfecciones que tenga en la piel de sus piernas.

Jackson clasifica a las personas en cuatro grupos que llevan por nombre cada una de las estaciones del año, basándose en una evaluación de los matices de la piel, el color del cabello y el color de los ojos. Cada estación cuenta con una gama de colores que le favorecen. Piense en los colores que predominan durante cada estación del año y entonces tendrá una idea bastante aproximada de los colores que pertenecen a ese grupo.

Es un modelo que los consultores en imagen, como Donna Fujii, quien capacita a consultores en belleza en San Francisco y Tokio, siguen usando en la actualidad, aunque muchos han creado subcategorías dentro de las estaciones y han desarrollado grupos nuevos. De hecho, Fujii expandió la teoría del color a modo de abarcar la diversidad de tonos de piel de las mujeres afroamericanas, asiáticas y latinas.

Aquí le damos algunas sugerencias de Fujii y otros expertos de la moda que le ayudarán a determinar cuáles son sus colores.

Identifique su matiz de fondo. Primero que nada hay que entender que esto no es una ciencia exacta. De hecho, la verdad es que incluso los expertos en determinar colores emplean un método de ensayo y error. Alrededor del cuello de la cliente, se envuelven pedazos de tela de los colores que pertenecen a las diferentes estaciones, uno a la vez. Si la piel se ve deslavada o pálida, entonces no es el color correcto. Después de probar varios colores, se hace evidente un patrón. La piel que tiene matices de fondo azulados (verano e invierno) se ve mejor con colores fríos; entonces las telas de colores naranja–amarillo la no favorecen. La piel que tiene matices de fondo amarillentos (primavera y otoño) necesita colores cálidos. Los azules y violetas vibrantes, por ejemplo, resaltan lo peor.

Mientras esté evaluando su piel, tenga en mente que la frialdad o calidez de los matices de la piel no tienen nada que ver con lo clara u oscura que sea. Las pieles más oscuras sí tienden a ser más cálidas, pero esta no es una regla sin excepciones.

Considere el contraste. No es suficiente saber si puede usar colores cálidos o fríos. También debe considerar el contraste que existe entre el cabello y la piel. Las mujeres de alto contraste —por ejemplo, las que tienen el pelo castaño y la piel muy blanca— pueden usar colores más fuertes, mientras que las mujeres que tienen el cabello oscuro con canas son mujeres de bajo contraste y necesitan bajarle un poco a la intensidad. Sin embargo, una persona de bajo contraste puede usar colores más fuertes bajo la luz de noche.

Disminuya el contraste. Determinar cuáles son los colores que más la favorecen no es algo que se hace una sola vez en la vida y ya. Conforme envejecemos, nuestro cabello y piel se aclaran u opacan, entonces el tono e intensidad de los colores que podemos usar tienden a ser un poco más suaves. Por ejemplo, si generalmente usa negro y otros colores oscuros, quizá ahora le favorezcan más el gris carbón y el blanco invernal. Las mujeres que tienen el cabello oscuro con canas pueden verse mejor usando los colores arena, gris oscuro con un ligero tinte pardo o gris aperlado.

"Hoy en día, estoy usando colores que no podía usar hace varios años", Pat Newquist, una consultora en imagen de 49 años de edad que es propietaria de Wardrobe Image en Tempe, Arizona. Para irse a la segura, consulte a un experto cada 5 años.

COLORES QUE CAMUFLAJEAN

Usted puede usar los colores en su guardarropa para adelgazar de inmediato.

Deje de reírse. Es verdad.

Sólo es cuestión de una ilusión óptica, de resaltar sus atractivos y ocultar sus defectos. En la teoría del color del guardarropa, esto se conoce como bloqueo por color y aunque no se haya dado cuenta, usted ya sabe sus fundamentos, dice Jan Larkey, una consultora en imagen de Pittsburgh.

Cada vez que combina prendas separadas está trabajando con el bloqueo por color. Por ejemplo, cuando usted se prueba una blusa de color oscuro con unos pantalones de color pastel, instintivamente sabe que algo no está bien. Se ve desequilibrada porque, visualmente, los colores claros hacen que las áreas se vean más grandes mientras que los colores oscuros producen el efecto contrario.

Para corregir este desequilibrio, lo único que tiene que hacer es ponerse un saco o suéter del mismo color de los pantalones. Ahora hay un área proporcionalmente menor del color oscuro a la vista. La silueta de un solo color genera una vertical larga y alta y si se deja abierto el saco o suéter, las solapas forman dos líneas verticales adicionales que la adelgazan al correr a lo largo de la parte central delantera.

Al borde de las tendencias

Cada par de meses, hay un brote de actividad cuando los diseñadores y expertos en moda anuncian los colores de la estación: el rosa brillante está de moda, los colores pastel están fuera de moda; el negro es hermoso, el café luce desgarbado. Un año después, todo esto se puede revertir completamente. No tome tan en serio las tendencias, dice Fujii. Estúdielas, use lo que le parezca atractivo y luego forme su propio criterio. Aquí le damos algunos consejos para ayudarla.

Manténgase neutral. En cuanto a su ropa, combine colores neutrales. Vístase con sencillez y agréguele chispa a su *look* con un par de za-

Cualquier conjunto de un solo color oscuro también la hará verse más delgada. No sabotee el efecto poniéndose un cinturón de un color contrastante que la parta por la mitad. Póngase el contraste un poco más arriba —usando, por ejemplo, un canesú en su blusa— y. . . ¡listo! Sus hombros instantáneamente se verán más anchos. Esta es una forma excelente de lograr un equilibrio cuando la parte inferior de su cuerpo es más grande que la superior. Por otra parte, si para obtener algo de contraste usted se pone un cinto de color alrededor de las caderas, entonces va a estar en problemas, a menos que tenga un trasero pequeño y unas caderas delgadas.

Para desarrollar un sentido agudo del bloqueo por color, comience por evaluar honestamente su cuerpo. Cree bloqueos por color verticales sobre cualesquiera partes de su cuerpo que desearía que fueran más largas o delgadas y bloqueos por color horizontales sobre aquellas partes que desearía que fueran más anchas. Además, asegúrese de nunca combinar colores de modo que resalten sus áreas problemáticas. Cuando ninguna de estas alternativas le funcione, usted todavía podrá crear un *look* apantallante al combinar prendas separadas de colores intermedios y ponerse una mascada que la favorezca alrededor del cuello.

patos de diseño interesante, dice Diana Kilgour, una consultora en imagen de Vancouver, Canadá. En cualquier caso, siempre es una buena idea usar zapatos que estén de moda.

Cree nuevas combinaciones. Busque formas nuevas e interesantes de combinar sus prendas y accesorios, sugiere Kilgour. Para conseguir un efecto cosmopolita europeo, quizá pueda mezclar colores de invierno y verano, mezclar colores neutrales o agregar colores como el azul clarito, el negro, el café o el gris carbón al azul marino. Cuando esté usando un traje sastre, combine el negro con el café en lugar de combinar el negro con el verde esmeralda.

Sea selectiva. "En cada tendencia —y en cada estación— va a

¿EL NEGRO ES PARA TODAS?

Los colores se ponen y pasan de moda, pero al igual que una vieja amiga leal, usted siempre puede contar con el negro. Aunque a veces le rinda su lugar en el guardarropa al café o al azul, ningún otro color puede pasar de ser adecuado para una imagen seria de negocios, a una imagen casual de fin de semana, a un *look* de noche con tan poco esfuerzo.

Por desgracia, hay un problema: pocas mujeres se ven bien cuando usan negro junto a su cara. Casi ninguna de nosotras puede lograr ese efecto deslumbrante que crea el negro en una mujer de cabello plateado que se ha tomado el tiempo de definir sus cejas y aplicarse un lápiz labial de color intenso. ¿Pero significa esto que tenemos que deshacernos de toda la ropa negra que tenemos colgada en el clóset? Para nada.

En un libro que escribió, la maestra de la moda Christine Kunzelman se pronuncia a favor de los enormes beneficios de usar un vestido negro sin cuello pero recomienda agregar accesorios y usar algunas otras prendas encima.

Su idea es usar los colores que más la favorezcan cerca de la cara. Considere bajarle el tono al negro al agregar algo de color poniéndose, por ejemplo, una blusa suelta con botones, un saco abierto o cerrado, un cuello de tortuga debajo de la prenda negra sin cuello, un suéter colgado de los hombros con las mangas amarradas sobre su pecho o una mascada.

Sin embargo, debe combinar los colores con mucho cuidado, pues su elección podría agregarle años a su apariencia. Para obtener el *look* más actualizado, mezcle el negro con café, caqui u otros colores neutrales.

haber más de una gama de colores", dice Fujii. Enfóquese en los colores que más la favorezcan. Escoja tres, quizá cuatro, pero nunca más de cinco. Incluso dentro de una tendencia de un solo color, existe un rango de tonos, entonces deberá poder encontrar alguno que se le vea bien con su cutis.

El contexto también cuenta. El ambiente donde tiene planeado usar un conjunto es tan importante como escoger los colores adecuados. Por ejemplo, si usted está usando un conjunto color durazno mientras que todas las personas que la rodean están usando negro, entonces usted se verá demasiado joven, dice Kilgour. Por lo tanto, planee con anticipación y trate de encajar con los demás.

Déle la cara al color

Por supuesto, nuestros tonos naturales de la piel, nuestro color del cabello y nuestra ropa no son las únicas cosas que tienen color. También usamos maquillaje. Y cuando se trata de mejorar nuestros rasgos faciales, es difícil deshacernos de viejos hábitos. De hecho, la mayoría de nosotras tendemos a maquillarnos de la misma forma durante 10 y hasta 20 años, dice Newquist.

Cuando hacemos esto, le estamos dando la espalda a una oportunidad maravillosa. Con los nuevos métodos de aplicación, así como los nuevos colores y productos, podemos quitarnos años de encima. De hecho, la experta en maquillaje Linda Stasi de la ciudad de Nueva York, anterior editora y escritora de artículos de belleza para las revistas *Cosmopolitan* y *Elle* (Ella), dice que el efecto que produce el delineado de las cejas es tan dramático como un estiramiento facial.

Pat Newquist, Linda Stasi y Donna Fujii, quienes tienen su propia línea de cosméticos y tratamientos para la piel, ofrecen más consejos.

Corrija y cubra. Las ojeras necesitan un poco de corrector y base. Aplíquese el corrector primero. El color que escoja dependerá de los tonos de su piel. Aunque existen diferencias enormes de color incluso dentro de un mismo grupo étnico, usted puede descartar algunas opciones considerando su ascendencia. Las mujeres de piel negra pueden escoger amarillo o ámbar, las mujeres de piel trigueña se ven mejor con amarillo y las de piel muy blanca deben escoger un producto blanquecino. Difumine los bordes del corrector y luego aplíquese una base que sea casi del mismo color que su piel.

Leve con la manita de gato. Los tonos de la piel se aclaran u opacan conforme envejecemos, entonces tiene sentido ir aligerando el maquillaje. Use colores que no sean tan intensos como los que solía emplear. Por ejemplo, use delineador café en lugar de negro. Opte por una base suave y translúcida que se pueda difuminar con cepillos en lugar de las puntas de sus dedos. Asegúrese que el color no parezca como si alguien le hubiera puesto una plasta sobre el cutis y utilice sombras de colores neutrales. Su rubor debe ser del mismo color que adquieren sus cachetes cuando hace ejercicio. Aplíquese el rubor debajo de los pómulos.

Actualícese con regularidad. El lápiz labial puede durar un año o más, pero sigue siendo una buena idea que evalúe los colores de su maquillaje al menos una vez por año. Lo que vea quizá la inspire a hacer un cambio audaz, olvidarse del delineador o comprar un lápiz labial nuevo que sea unos cuantos tonos más claro u oscuro que el que está usando. Consiéntase. Después de todo, los lápices labiales cuestan menos que una salida al cine y a cenar.

CUTIS

Cómo cuidarlo como gallo fino

Existen muchos acontecimientos que marcan un hito en la vida de una mujer: el inicio de sus períodos menstruales. El día de su boda. El nacimiento de su primer hijo. El día que se encuentra la primera arruga. . .

¡Oh, espejito mágico! ¿Por qué tiene que pasar esto? Ya sabemos que con los años, acumulamos sabiduría pero, ¿por qué también tenemos que acumular arrugas? La aparición de esas diminutas rayitas debajo de nuestros ojos o de los primeros pliegues delgados en nuestra frente (por no hablar de capilares rotos o manchas de la edad), puede hacer que le queramos dar la espalda a nuestro propio reflejo (o mejor aún, estrellar el espejo como la reina malvada del cuento de Blanca Nieves).

Al enfrentarnos, por así decirlo, con un cutis menos que juvenil, tenemos dos opciones. Podemos aceptarlo y hacer las paces con nuestras arrugas. O podemos combatirlas hasta el último día de nuestra vida.

¿Se quiere armar para la batalla? Nosotras contamos con bastante control sobre la manera en que envejece nuestro cutis y también existen muchas formas de mantener un cutis radiante, juvenil y suave, formas que no incluyen ejercicios faciales raros, cremas para el cutis que cuestan cientos de dólares ni viajes al consultorio de un cirujano plástico.

Incluso si aún no ha detectado esa primera arruga, sigue habiendo buena razón para que mime y cuide su cutis todavía joven. "Entre más pronto empiece a cuidar su cutis, mayor será la diferencia que notará conforme pasen los años", dice la Dra. Francesca J. Fusco, una dermatóloga de la ciudad de Nueva York.

Para lograr tener un cutis de apariencia más juvenil, es importante entender cómo va cambiando a través de los años y por qué.

Los origenes de las arrugas

Obviamente, el paso de los años en sí cobra su precio. La capa externa protectora de la piel, llamada epidermis, se vuelve más delgada y cada vez más frágil. Las glándulas sebáceas producen menos grasa, haciendo que la piel se torne más seca y sensible. El número de vasos sanguíneos

(continúa en la página 48)

TAMBIÉN CUÍDESE EL CUELLO

Sin importar cuán joven luzca de la barbilla para arriba, si no se cuida el cuello, será fácil adivinarle la edad. Al igual que la piel del contorno de los ojos, la piel del cuello no miente sobre nuestra edad. "Es más fina que la piel de la cara y prácticamente no tiene glándulas sebáceas, entonces es extremadamente vulnerable a la resequedad y los daños causados por el sol", dice la Dra. Jennifer Ridge, una dermatóloga de Middletown, Ohio.

Para evitar daños posteriores, comience a usar estas estrategias para cuidarse el cuello desde ahora mismo.

Consienta a su garganta. No es necesario usar cremas especiales para el cuello, dice la Dra. Ridge. Simplemente cuídese el cuello con el mismo producto limpiador y crema humectante que utilice para su cara. Apliquese la crema humectante haciendo movimientos firmes hacia arriba.

Póngase una capa antisol. Cúbrase el cuello diariamente con filtro solar, crema humectante o base de maquillaje que tenga un factor de protección solar (*SPF* por sus siglas en inglés) de cuando menos 15. Si sólo va a usar filtro solar, utilice una cantidad más o menos del tamaño de un garbanzo.

También apliquese filtro solar en el pecho. "Los cuellos abiertos y los vestidos escotados dejan el pecho expuesto al sol", dice la Dra. Ridge.

Para proteger su cuello aún más, lleve siempre un pequeño tubo de filtro solar en su cartera (bolsa) y apliqueselo varias veces al día o cada dos horas si está bajo un sol muy intenso. ¿Por qué? Porque si sólo se lo aplica en la mañana, su cuello no estará protegido todo el día. "El filtro solar se cae con el sudor y con la frotación. En unas cuantas horas, ya no llevará nada", dice la Dra. Ridge.

Protéjase mientras duerme. Cuando dormimos con la cabeza sobre una almohada, tendemos a apretar la barbilla contra el cuello, dice la Dra. Ridge. Con los años, conforme nuestra piel va perdiendo su elasticidad, se vuelven permanentes estas "arrugas del sueño" que se nos hacen mientras dormimos.

Para que la piel de su cuello se mantenga más tersa, cambie su almohada normal por una almohada ortopédica (*neck roll*), sugiere la Dra. Ridge. Estas almohadas pequeñas en forma de tronco, que están disponibles en las tiendas y catálogos de artículos médicos, están diseñadas para mantener alineados a la barbilla y al cuello. También permiten que la piel del cuello se mantenga estirada. Sin embargo, cabe advertirle que las almohadas ortopédicas pueden causar un infortunado efecto secundario. "Puede que ronque más —dice la Dr. Ridge—, pero su cuello se verá mejor".

Desafíe a la naturaleza. Para disminuir las arrugas en su cuello, utilice lociones o cremas que contengan ácido glicólico (*glycolic acid*), que es un miembro de un grupo de sustancias conocidas como alfa-hidroxiácidos (*AHA* por sus siglas en inglés), dice la Dra. Ridge. Estos ácidos naturales de las frutas y la leche ejercen una acción química que desprende, o exfolia, la acumulación de células muertas sobre la superficie de la piel, dejando así expuesta la capa subyacente de piel más nueva y fresca.

Usted encontrará productos que contienen AHA, la mayoría de los cuales emplean el ácido glicólico, en el pasillo de productos para el cuidado de la piel de cualquier farmacia. Busque alguna marca que contenga un 10 por ciento de ácido glicólico. Sin embargo, para obtener resultados más dramáticos, quizá necesite usar un producto más concentrado —o sea, que contenga hasta un 25 por ciento de ácido glicólico—, pero para esto tendrá que consultar a un dermatólogo.

Puede que el dermatólogo también le sugiera la tretinoína (*Retin-A* o *Renova*). Al igual que el ácido glicólico, los productos con tretinoína exfolian químicamente la capa superior de la piel. También penetran la segunda capa, la dermis, donde ayudan a formar colágeno, que es el material fibroso que le da su llenura juvenil a la piel. Aunque ambos funcionan bien, dice la Dra. Ridge, *Retin-A* y *Renova* sólo se venden con receta, entonces sólo podrá conseguirlas si está bajo la supervisión de un médico.

también disminuye, entonces una pierde ese resplandor rosado que tenía en la juventud. Además, el proceso del envejecimiento hace que sea más lenta la velocidad a la cual se reemplazan las células viejas con células frescas y nuevas.

La genética también interviene en el efecto que producen los años sobre la piel. Por ejemplo, las mujeres de piel clara muestran señales de envejecimiento prematuro antes que las mujeres de piel más oscura. Esto se debe a que la piel clara contiene menos melanina, que es una sustancia que pigmenta la piel y ayuda a protegerla del sol, explica la Dra. Linda K. Franks, una dermatóloga de la ciudad de Nueva York.

Pero esto sólo es una parte. Sin importar cuántas velitas le va a poner este año a su pastel (bizcocho, torta, *cake*) de cumpleaños o qué tan claro sea su cutis, en gran medida, la "edad" de su cutis depende de lo bien o mal que lo cuide.

Los peores atentados que puede cometer en contra de su cutis son asolearse y fumar cigarrillos. Ambos aceleran la descomposición del colágeno y la elastina, que son proteínas estructurales que le dan a la piel su llenura y elasticidad juveniles. El resultado es una piel que cuelga, arrugas, aspereza, manchas de la edad y otras manchas.

Otros elementos que envejecen al cutis incluyen el estrés emocional crónico, una mala nutrición, seguir dietas excesivamente rigurosas y tomar alcohol, dice la Dra. Debra Jaliman, una dermatóloga de la ciudad de Nueva York.

El enemigo número uno del cutis: El sol

Pregúnteles a los dermatólogos que cuál es el villano que más traiciona al cutis y verá que el sol siempre saldrá siendo por mucho el ganador. El daño causado por el sol, que también se conoce como fotoenvejecimiento, le da al cutis una textura de cuero curtido y puede hacer que un cutis de muñeca de porcelana se atiborre de arrugas, manchas y vasos sanguíneos rotos.

¿Cómo es que algo que se siente tan bien sobre nuestra piel desnuda pueda causar tanta destrucción? En una sola palabra: radiación.

El Sol emite dos tipos de radiación ultravioleta (UV): los rayos UVA, que a veces se denominan rayos bronceadores, y los rayos UVB, los que se conocen como los rayos que queman. Hasta fechas recientes, se pensaba que los rayos UVA eran inofensivos. De hecho, se sigue usando luz UVA en las camas para broncearse. Pero ahora los dermatólogos saben que tanto los rayos UVA como los rayos UVB son igualmente dañinos para la piel. Con el paso de los años, sin prisa pero sin pausa estos rayos descomponen el colágeno y la elastina, hasta que un día, de pronto la convierten en la candidata perfecta para un estiramiento facial.

Los daños comienzan mucho antes de lo que una cree. "El 80 por ciento de los daños causados por el sol ocurren antes de los 20 años de edad", dice la Dra. Rhoda S. Narins, profesora de Dermatología de la Universidad de Nueva York en la ciudad de Nueva York.

Las mujeres que son más vulnerables al fotoenvejecimiento son aquellas que tienen la piel, el cabello y los ojos claros, así como las que se han criado en lugares que están a una altitud elevada, donde los rayos UV son más intensos, dice la Dra. Franks. "Yo he visto a mujeres de veintitantos años que se han criado en Colorado o esquiadoras que han pasado años bajo los rayos intensos del Sol y ya tienen líneas y arrugas delgadas debajo de los ojos".

¿Cree que por tener la piel más morena usted es inmune al ataque solar? Pues está en un error, dice la Dra. Franks. El sol puede dañar incluso a las mujeres negras y a las personas de tez trigueña, cuya piel contiene más melanina que aquella de las personas con un tono de piel más claro. "Yo he visto a muchas mujeres de tez trigueña cuyo cutis ha sido extremadamente dañado por el sol —dice—. Ellas parecen desarrollar manchas por el sol, o lo que se conoce como manchas de la edad, a una edad más temprana".

Sálvese con filtros solares

¿No sería maravilloso que existiera un producto milagroso que pudiera proteger la piel contra el ataque solar? ¿Qué de hecho pudiera *prevenir* las arrugas causadas por el sol?

Pues sí existe. Se llama filtro solar.

Sin importar cuántos años tenga, si usted se unta cantidades abundantes de filtro solar *ahora mismo*, esto puede ayudar a prevenir que el sol le haga más daño en el futuro, dicen los dermatólogos.

También puede ayudar a evitar la formación de arrugas. "Las arrugas se forman después de años de exponerse al sol, pero la piel ya está dañada antes de que las arrugas aparezcan —dice la Dra. Franks—. Al usar un filtro solar desde ahora e impedir que continúe el ataque, usted puede retardar o incluso prevenir las arrugas".

Existen dos tipos de filtros solares. El primer tipo, los bloqueadores

PREGUNTAS Y RESPUESTAS

¿Por qué se ve tan feo mi cutis cuando no duermo lo suficiente?

Las bolsas de los ojos, las ojeras, la hinchazón y la piel pálida que se manifiestan después de un episodio de insomnio o una desvelada ocurren por la misma razón que las personas lucen fatales cuando se bajan de un avión después de un viaje muy largo: su reloj interno —y sus hormonas— se han alterado. El reloj interno de la mayoría de las personas está ajustado de forma que las deje dormir de noche y las despierte en la mañana. Este también está programado para liberar ciertas hormonas a ciertas horas del día.

Quizá haya notado que en la noche, antes de irse a la cama, sus ojos están hinchados y se ve cansada e hinchada. ¿Por qué no se ve igual en la mañana? Suponiendo que haya dormido bien la noche anterior, sus hormonas repuntan para la mañana siguiente y "preparan" al cutis para que se despierte.

Una hormona que llega a su nivel máximo principalmente durante la mañana es el cortisol, el cual ayuda a regular la hinchazón. Cuando una duerme bien, el cortisol llega a su nivel máximo conforme a lo programado, es decir, en la mañana. Esta hormona ayuda a disminuir la hinchazón mañanera y contribuye a que su cutis se vea descansado y fresco. Por otra parte, una desvelada o una noche de insomnio desajusta su reloj interno, entonces el nivel de cortisol no llega a su máximo cuando debería hacerlo. Así pues, usted se levanta con una cara pálida e hinchada.

EXPERTO CONSULTADO
Dr. Andrew Pollack
Jefe de Dermatología
Hospital Chestnut Hill
Filadelfia

físicos, contienen óxido de cinc (*zinc oxide*) o dióxido de titanio (*titanium dioxide*) y actúan como un campo de fuerzas, literalmente bloqueándole el paso a los rayos UVA y UVB para que no lleguen a la piel. El óxido de cinc —esa cosa blanca pegajosa que se untan los salvavidas en los labios y la nariz— es el más potente de los dos.

Por suerte, ahora podemos aprovechar los beneficios del óxido de cinc sin que parezca que acabamos de salir de una fiesta de disfraces. Ahora en día, la mayoría de los bloqueadores físicos que se venden sin receta, y los cuales puede conseguir en el consultorio de su dermatólogo, contienen óxido de cinc micronizado o (es decir, molido en partículas tan pequeñas que son prácticamente invisibles). También puede buscar estos productos en la *Internet*, dado que comúnmente no están disponibles en las tiendas.

El segundo tipo, los filtros solares químicos, contienen sustancias químicas específicas que absorben los rayos tanto UVA como UVB. La avobenzona (*avobenzone*), también conocida como Parsol 1789, es uno de los filtros solares químicos más eficaces y más ampliamente utilizados, señala la Dra. Franks.

Pero el solo uso de un filtro solar no puede impedir que el sol envejezca su piel si usted insiste en empezar —y terminar— la nueva novela de Isabel Allende mientras se rostiza en la playa. "Incluso los mejores filtros solares permiten que algunos rayos UV penetren hasta la piel", dice la Dra. Fusco.

Dése una manita de filtro

¿Ya está convencida de que el sol le hace pomada la piel? ¿Ya se ha hecho la promesa de usar filtro solar todos los días? Perfecto. Ahora, lo único que tiene que hacer es escoger el producto adecuado y usarlo correctamente. Aquí le decimos cómo.

Fíjese en el numerito. Para protección diaria, utilice un filtro solar que contenga un factor de protección solar (*SPF* por sus siglas en inglés) de cuando menos 15, dice la Dra. Franks, y aplíqueselo 30 minutos antes de salir al sol todos los días sin fallar, incluso cuando ni siquiera se esté asomando el sol. (Las nubes pueden tapar el sol, pero también pueden permitir que hasta un 80 por ciento de los rayos UV lleguen a su piel).

Si planea pasar un tiempo en un campo de golf, cancha de tenis o pista para esquiar, utilice un filtro solar que tenga un SPF de 30, dice la Dra. Fusco. Lo mismo aplica en caso de que usted pase mucho tiempo a bordo de un barco o en la playa. El sol se refleja del agua y rebota sobre la piel, lo cual intensifica el daño. Y debido a que el sudor y el agua, o secarse demasiado con una toalla, pueden eliminar el filtro solar, vuélvase a aplicar un poco más mientras esté afuera. Quizá quiera probar uno de los muchos filtros solares a prueba de agua que están disponibles, pero recuerde que también debe volvérselo a aplicar de vez en cuando.

Amplíe su protección. El factor SPF de un filtro solar sólo mide la protección que le ofrece contra los rayos, dice la Dra. Franks. Entonces asegúrese que la etiqueta del filtro solar que compre diga *"broad spectrum"* (espectro amplio), lo que significa que absorbe tanto los rayos UVB como los UVA. La mayoría de los filtros solares de espectro amplio contienen Parsol 1789 o dióxido de titanio.

Cúbrase con canicas. Use una cantidad de filtro solar del tamaño de una canica para cubrirse la cara, y dos "canicas" para cubrirse el cuello y pecho, dice la Dra. Fusco. Si usted usa maquillaje o una crema humectante además de filtro solar, aplíquese primero el filtro solar. Es mejor que el filtro solar esté lo más cerca posible de la piel.

Utilice los filtros solares "integrados". Para ahorrarse tiempo, dinero y espacio en su cajón de cosméticos, utilice una crema humectante o base de maquillaje que tenga un SPF de cuando menos 15. "Para el uso diario, estos productos son igualmente eficaces que el filtro solar por sí solo, siempre y cuando se usen correctamente —dice la Dra. Fusco—. Pero debe acordarse de aplicarse el equivalente a una cucharadita de base para asegurarse de obtener el factor de protección solar que promete el producto".

Tenga labios a prueba de arrugas. El daño solar eventualmente también puede hacer que aparezcan arrugas en los labios. Entonces utilice un lápiz labial o una pomada para labios que contenga filtro solar para que sus labios conserven la suavidad y una apariencia juvenil, dice la Dra. Fusco.

Sugerencias para cuando salga al sol

Pregúntele a cualquier dermatólogo y él le dirá que no se exponga al sol entre las 10:00 A.M. y las 4:00 P.M., es decir, cuando los rayos del Sol son más intensos. Si bien este es un buen consejo, la realidad es que somos mujeres, no vampiresas. Algunas de nosotras vivimos en climas soleados, algunas pasamos los fines de semana en el jardín y a otras nos encanta jugar

BRONCÉESE SIN SOL

Para adquirir un bronceado atractivo pero sin llevarse unas arrugas de regalo, puede probar una loción autobronceadora. Estas funcionan cuando su principio activo (dihidroxiacetona o DHA) interactúa con los aminoácidos de la capa superior de su piel, haciendo que esta se vuelva más oscura. Este "bronceado" se desvanece al cabo de unos cuantos días, conforme las células muertas de su piel se van desprendiendo.

Para conseguir el mejor bronceado embotellado posible, siga las siguientes instrucciones.

Primero, aplíquese una capa delgada y uniforme de autobronceador, comenzando por la cara y terminando en los pies. Utilice una cantidad del tamaño de una moneda de 10 centavos de dólar sobre su cara y otra cantidad similar para cubrirse el cuello, pero no se aplique autobronceador sobre los párpados ni dentro de las cejas. Difumínese el bronceador hasta la barbilla y hacia la línea del cuello.

Para broncearse el dorso de las manos, ponga un poco de autobronceador en una bolita de algodón y luego pásese la bolita por el dorso de las manos y los dedos. No use demasiado autobronceador alrededor de la línea del cuero cabelludo ni en las rodillas, los codos y los tobillos; estas áreas parecen "agarrar" más DHA y pueden adquirir un tono demasiado oscuro.

Cuando termine, inmediatamente tállese las manos con una esponja de *luffah* o con algún limpiador granular. También lávese bien entre los dedos.

Vuelva a aplicarse el autobronceador una segunda vez el mismo día hasta que adquiera el bronceado que desea. Para mantener su bronceado, vuelva a aplicarse el autobronceador después de unos días.

golf o tenis. Si, para usted, asolearse es una absoluta necesidad, siga las sugerencias que le damos a continuación. Estas le ayudarán a "superprotegerse" del sol.

Acuda a las alas anchas. Mientras esté bajo los rayos intensos del Sol, use un sombrero con un ala de cuando menos 4 pulgadas (10 cm) de ancho. Olvídese de los gorritos de marinero y las gorras de béisbol; ninguno ofrece mucha protección cuando el Sol está brillando a todo lo que da, dice la Dra. Jaliman.

Protéjase de las patas con unos lentes potentes. Utilice lentes de sol que cubran los lados de la cara y que estén diseñados para bloquear del 95 al 100 por ciento de los rayos UVA y UVB, dice la Dra. Jaliman. ¿Por qué debe usar este tipo de lentes para sol? Porque protegerán a sus ojos contra los rayos UV dañinos, al mismo tiempo que cubrirán completamente la zona donde aparecen las patas de gallo.

Váyase por la sombrita. Mientras esté expuesta al sol intenso, refúgiese periódicamente en un lugar sombreado, dice la Dra. Jaliman. Cuando esté en la playa, estaciónese debajo de una gran sombrilla. Asimismo, cuando esté de excursión o sobre el agua, si no hace mucho calor, utilice ropa hecha con una tela de tejido apretado. La ropa ayudará a evitar que los rayos UV penetren su piel. Pero si la ropa va a hacer que usted se derrita de calor, al menos use un sombrero, lentes oscuros y mucho filtro solar.

Costumbres que le cuidan el cutis

Cuando los dentistas dicen que la buena higiene bucal protege sus dientes y encías, usted sabe exactamente qué es lo que quieren decir. Si ampliamos la metáfora, practicar una buena higiene del *cutis* puede ayudar a proteger la piel de las arrugas prematuras. Las siguientes recomendaciones pueden ayudarla a romper con estos hábitos que la despojarán de su juventud.

Húyale al humo. He aquí otra buena razón para dejar el cigarrillo. Las fumadoras tienen una probabilidad de dos a tres veces mayor de desarrollar arrugas prematuras que las no fumadoras, según un estudio de investigación realizado en la Universidad de California en San Francisco. Esto se debe a que el tabaquismo provoca que las fibras de la piel pierdan su elasticidad a una edad más temprana y que la piel se vuelva más susceptible a arrugarse. Además, el tabaquismo literalmente estrangula a la piel. La nicotina que contienen los cigarrillos estrecha los vasos sanguíneos, evitando que la sangre rica en oxígeno llegue a los diminutos capilares que se encuentran en las capas superiores del cutis. Esta privación de oxígeno hace que la piel se torne opaca y gris y que adquiera una textura parecida al cuero curtido, una afección tan bien conocida que hasta tiene nombre: cara de fumador.

La buena noticia es que las fumadoras notarán una mejoría en la apariencia de su cutis después de tan sólo 60 días de haber dejado de fumar, dice la Dra. Franks, pues este es el tiempo que tarda la piel en cambiar dos veces.

Póngase a soñar. Aunque suene obvio, trate de dormir al menos 8 horas cada noche. "Al igual que cualquier otro órgano, su piel necesita tiempo para repararse y dormir es una forma excelente de darle un descanso", dice la Dra. Franks.

Duerma boca arriba. Si no puede, aprenda. Aplastar la cara contra una almohada durante 30 ó 40 años eventualmente le planchará arrugas en el cutis, dice la Dra. Jaliman.

El limpiador perfecto

La industria de productos para el cuidado del cutis gasta millones de dólares para tratar de convencernos de que sus productos guardan el secreto de un cutis terso y sin arrugas. Sin embargo, muchos dermatólogos dicen que no es necesario tener un estuche lleno hasta el tope de dichos productos para tener un cutis atractivo y juvenil.

"Yo soy una gran partidaria del cuidado sencillo y básico del cutis —dice la Dra. Franks—. Lo único que necesita es un limpiador suave y una crema humectante". La miniguía que le damos a continuación puede dirigirla hacia los limpiadores que mejor funcionarán para *su* tipo de cutis.

Como mencionamos anteriormente, las glándulas sebáceas de la piel producen menos grasa conforme envejecemos. El limpiador correcto elimina la mugre y el maquillaje sin agotarle las reservas de grasa de su cara, las cuales realmente necesita su cutis para tener una apariencia juvenil.

Si la tiene seca, límpiese con crema. "Entre más seca sea su piel, más suave deberá ser su limpiador", dice la Dra. Fusco. Ella sugiere *Oil of Olay Foaming Face Wash* o *Cetaphil*. El *Cetaphil* es un limpiador que no contiene jabón, fragancias, aditivos ni conservantes que irritan la piel.

Disuelva la grasa. El cutis grasoso tiende a ser grueso, entonces puede tolerar un limpiador más fuerte. Pruebe un limpiador líquido que atrape la grasa y que haya sido formulado para cutis grasoso, como *Neu-*

trogena Oil-Free Acne Wash, que es un limpiador con ácido salicílico. Si prefiere usar un limpiador en barra, pruebe la *Neutrogena Oily Skin Formula Facial Cleansing Bar,* sugiere la Dra. Fusco. O pruebe un limpiador en gel formulado para cutis grasoso.

Si es sensible, opte por un limpiador más suave. Pruebe *Cetaphil,* dice la Dra. Fusco. Los dermatólogos a menudo recomiendan este producto para las personas con piel sensible. Si no, escoja un limpiador como el de *Almay* que diga "hipoalergénico" (*hypoallergenic*) en la etiqueta, lo que significa que contiene menos componentes que los productos normales y pocos o ninguno de aquellos componentes que se sabe que causan reacciones alérgicas.

Límpiese correctamente. La forma en que se limpia el cutis es tan importante como el producto que usa, dice la Dra. Fusco. Esta es la manera correcta de lavarse la cara. Si está usando un limpiador en forma de líquido, loción o gel, coloque más o menos una cucharadita del limpiador en la palma de su mano. Aplíqueselo sobre el cutis y dése un masaje suave con las puntas de sus dedos. Enjuáguese la cara con agua tibia hasta que haya eliminado todo el limpiador (más o menos cinco o seis veces) o quítese el limpiador usando una toallita para la cara suave y húmeda. Si usted usa un limpiador en barra, póngalo debajo del chorro del agua para mojar la barra y luego frótela entre las palmas de sus manos para sacarle espuma. Con las puntas de sus dedos, dése un masaje de cutis haciendo movimientos circulares durante 30 segundos, luego enjuáguese como le describimos anteriormente. Séquese el cutis dándose pequeños golpecitos con la toalla. *Nunca* se lo frote.

Evite los limpiadores granulares y las almohadillas abrasivas. "La exfoliación prolongada en realidad puede hacer que la piel se reseque más y que se acentúen las arrugas delgadas", dice la Dra. Fusco. Esto no necesita mayor explicación.

Cómo encontrar el humectante correcto

Las cremas humectantes son como los libros de dietas, o sea, cada día sale una nueva al mercado. Pero no se deje seducir por los productos de alto precio y alta tecnología: lo único que puede hacer una crema humectante, dice la Dra. Fusco, es suavizar la piel y humectarla. No puede borrar las arrugas.

Si está seca, acéitese. Entre más seco tenga el cutis, mayor será la cantidad de elementos hidratantes que deberá contener su crema humectante, dice la Dra. Fusco. Entonces escoja un producto que haya sido formulado con componentes como glicerina (*glycerin*), ácido hialurónico (*hyaluronic acid*) o dimeticona (*dimethicone*). Las cremas humectantes *Eucerin* y *Moisturel* son dos de las muchas buenas opciones que existen, dice ella. Estas cremas retardan la pérdida natural de humedad que ocurre a lo largo del día y previenen la deshidratación adicional de la piel.

O también puede optar por la ruta natural. "El aceite de oliva es un humectante excelente", dice la Dra. Jaliman. Por supuesto, no es una buena opción para una persona que es propensa al acné y lo mejor es usarlo como tratamiento para antes de irse a la cama, porque el aceite de oliva no protege la piel contra el sol (además de que olerá a ensalada mientras esté en el trabajo).

Si su cutis es grasoso, opte por lo ligero. El cutis grasoso puede llegar a sentirse reseco como resultado de los productos limpiadores fuertes formulados con componentes tales como el alcohol, que eliminan la grasa natural de la piel, dice la Dra. Fusco. Pruebe una crema que contenga componentes humectantes (o sea, componentes que atraen y atrapan al agua), como glicerina y PCA sódico (*sodium PCA*), dice. Estos atrapan la humedad de su piel sin darle un brillo grasoso. Asimismo, opte por una loción. Las lociones son más ligeras que las cremas y tienden a contener menos aceite para que no tapen los poros.

Si es sensible, piense en lo básico. Utilice una crema humectante hipoalergénica, dice la Dra. Fusco. Primero aplíquesela sobre un área de prueba para comprobar que su cutis la tolere bien. La glicerina pura (disponible en las farmacias) o la vaselina pueden ser eficaces, agrega, pero deberá evitarlas si usted es propensa al acné.

Considere las cremas para el contorno de los ojos. En el contorno de los ojos, puede usar su crema humectante normal sin problemas. Pero si usted tiene la piel sensible o si sus ojos se irritan con facilidad, considere comprar una crema humectante para el contorno de los ojos, dice la Dra. Fusco. Es menos probable que estas cremas, que han sido específicamente formuladas para aplicarse en esta área, agraven la piel delicada que se encuentra debajo de los ojos o a sus ojos en sí.

Los cuidados y nutrición de un cutis joven

Hace años, pensábamos que el chocolate y las papas a la francesa hacían que nos salieran barros (granos). Demasiado tarde, averiguamos que esto no era cierto. Pero lo que *sí* es cierto es que seguir una alimentación *sana* produce un efecto favorable en nuestro cutis. A continuación le damos consejos para que rejuvenezca a su cutis a través de su alimentación.

Apague su sed. El gran debate de las bondades del agua para el cutis ha existido desde que nuestras madres eran niñas. Pero según la Dra. Franks, "Beba, beba, y beba. . . al menos ocho vasos (de agua) al día". Tome más agua durante el invierno, cuando el aire interior es seco. "La piel continuamente pierde humedad hacia el aire, entonces recurre a la reserva de agua que

LOS OJOS A LOS 30, 40 Y 50 AÑOS DE EDAD

Según la Dra. Jennifer Ridge, una dermatóloga de Middletown, Ohio, esta es una idea general de lo que puede esperar que le ocurra a su cara conforme el tiempo siga su curso.

En la década de los 30 años de edad: Nos pueden salir ojeras a medida que la piel debajo de los ojos se hace más delgada y deja expuesto el pigmento subyacente. También es posible que detectemos nuestras primeras arrugas. Puede que apenas se vean o que sean bastante notorias, dependiendo si nuestra piel es morena o clara y cuánto nos asoleamos durante nuestra adolescencia y década de los 20 años de edad. En algunas de nosotras, el colchoncillo de grasa que había debajo de nuestros cachetes (el colchoncillo de grasa malar) empieza a colgarse, llevándose consigo la piel que está debajo de los ojos.

En la década de los 40 años de edad: Nuestra piel empieza a perder su llenura y elasticidad juveniles y puede que detectemos nuestras

se encuentra en las capas más profundas de la piel", explica la Dra. Franks.

Apártese del alcohol. El alcohol dilata los vasos sanguíneos. En algunas mujeres, tomar más alcohol de lo que se considera ser un consumo moderado hará que los vasos sanguíneos se le dilaten y constriñan continuamente, estirándolos como si fueran ligas de goma (hule) hasta el punto en que pierdan su elasticidad, dice la Dra. Franks. Eventualmente, los vasos sanguíneos permanecen dilatados, dice, conduciendo a las arañas vasculares y a los capilares rotos.

primeras arrugas. También desarrollamos arrugas más profundas en las esquinas de los ojos. Estas arrugas, que también se conocen como patas de gallo, son especialmente notorias si tenemos la piel clara, si hemos fumado o si éramos adictas al sol de jóvenes.

En la década de los 50 años de edad: Las arrugas se hacen más profundas, especialmente en el área de las patas de gallo. La piel nos empieza a colgar más, haciendo que nuestros párpados superiores se caigan hacia la línea de las pestañas.

El alcohol también provoca que la piel pierda agua, "y la piel deshidratada es más sensible a los daños causados por el sol", dice la Dra. Franks.

"Vitaminice" su cutis. Coma cantidades abundantes de frutas y verduras ricas en los nutrientes antioxidantes llamados vitamina C, vitamina E y betacaroteno, dice la Dra. Fusco. Los antioxidantes ayudan a proteger la piel contra los efectos dañinos de los radicales libres, que son moléculas inestables de oxígeno que se generan después de la exposición al sol.

Las fresas, la papaya (fruta bomba, lechosa), el kiwi, la naranja (china) nável y el pimiento (ají, pimiento morrón) son fuentes especialmente ricas de vitamina C. La vitamina E se encuentra en el aceite vegetal, el germen de trigo, los frutos secos y la semillas. Las espinacas y otras verduras de hojas color verde oscuro, junto con las frutas y verduras de color naranja intenso como las zanahorias, las batatas dulces (camotes, *sweet potatoes, yams*), el cantaloup (melón chino) y la calabaza (calabaza de Castilla), son alimentos que están repletos de betacaroteno.

Consuma más C. Considere tomar cantidades adicionales de vitamina C, que es una vitamina que la piel necesita para sintetizar colágeno, dice la Dra. Jaliman. Ella sugiere tomar 1,000 miligramos de vitamina C al día. Puede tomar un suplemento multivitamínico que contenga esta cantidad o tomar un suplemento de vitamina C por separado.

No juegue al yoyo. Evite subir y bajar de peso una y otra vez. "Esto hace que el colágeno y la elastina se desgasten", dice la Dra. Jaliman. También evite las dietas que hacen que una se muera de hambre. Las dietas muy bajas en calorías privan a su cutis de los nutrientes que necesita para florecer, dice.

Problemas especiales del cutis maduro

Como si tener que lidiar con las arrugas de la sonrisa y las patas de gallo no fuera suficiente, también tenemos que batallar con otros problemas del cutis asociados con el envejecimiento, desde los párpados hinchados hasta los poros grandes. Pero no pierda la esperanza. Estas son cosas que los expertos dicen que puede hacer por su propia cuenta para rejuvenecer, estirar o simplemente ocultar estas molestas imperfecciones.

Para encoger los párpados hinchados: Aunque usted no lo crea, algunas mujeres usan el producto para hemorroides (almorranas) *Preparation*

H. Este producto contiene hidrocortisona, que es un esteroide tópico que disminuye la inflamación, dice la Dra. Jaliman. ¿Realmente elimina las bolsas de los ojos? "Mis clientes dicen que sí —dice— pero su efecto es temporal". Pero es importante que tenga en mente que su uso prolongado puede adelgazar la piel y conducir al acné, las arrugas prematuras y los vasos sanguíneos rotos. Consulte a su médico antes de utilizar este producto alrededor de sus ojos.

Si untarse crema para hemorroides alrededor de los ojos se le hace un poco raro, puede usar otras tácticas más convencionales para hacer que se le encojan las bolsas de los ojos, dice la Dra. Jaliman. Duerma con la cabeza elevada para que el líquido no se le acumule debajo de los ojos. Disminuya su consumo de sal, la cual fomenta la retención de líquidos. O guarde unas cuantas cucharitas en el congelador y póngaselas sobre los ojos cuando se despierte con los párpados hinchados. El metal frío le ayudará a disminuir la hinchazón.

Para borrarse las ojeras: Use una crema desvanecedora que se venda sin receta (como *Porcelana*) que contenga un 2 por ciento de hidroquinona, sugiere la Dra. Jaliman. Sus ojeras deberán aclararse en uno o dos meses. Este producto también ayuda a desvanecer las manchas de la edad. (Para ocultar las ojeras con maquillaje, vea la página 104).

Para avivar un cutis cetrino: Pregúntele a un dermatólogo sobre el ácido glicólico, sugiere la Dra. Sheryl Clark, una dermatóloga de la ciudad de Nueva York. Este alfa-hidroxiácido (*AHA* por sus siglas en inglés), derivado de la caña de azúcar, elimina las células muertas de la capa superior de la piel que hacen que su cutis luzca opaco, dejando al descubierto una capa nueva y fresca de piel. Y hasta puede que note la diferencia en tan sólo dos semanas. Usted puede conseguir ácido glicólico a través de su dermatólogo. Las formulaciones que se venden sin receta a menudo contienen una concentración muy baja de este compuesto como para ser eficaces.

Para ocultar las arañas vasculares o los capilares rotos: Estas delgadas líneas rojas que surcan sus cachetes o nariz se pueden eliminar con láser o con una aguja eléctrica, dice la Dra. Jaliman. Pero es más fácil ocultarlas con maquillaje.

Para minimizar los poros grandes: Utilice las tiras para limpieza profunda de poros, como *Bioré* o *Pond's*, en su nariz, frente, barbilla o cachetes, sugiere la Dra. Fusco. "La mugre dilata los poros —dice—. Si no están tapados de mugre, se verán más pequeños". Si bien estos productos son seguros y eficaces, no los use más de una vez cada dos semanas.

Los astringentes y las mascarillas de barro también pueden minimizar temporalmente los poros, dice la Dra. Fusco. La piel se rellena temporalmente, lo cual hace que los poros luzcan más pequeños. Sin embargo, sólo use este truco en ocasiones especiales. "El uso excesivo de estos productos puede hacer que la piel se estire, se reseque y se empiece a escamar", dice.

Para evitar las arrugas del entrecejo (ceño): Péguese un pedazo de cinta adhesiva de tela a prueba de agua a lo largo de su frente antes de irse a la cama, sugiere la Dra. Jaliman. "La cinta evitará que frunza el entrecejo mientras esté dormida, lo cual ayudará a evitar las arrugas". Sin embargo, la cinta no le ayudará a prevenir las patas de gallo. "Usted no aprieta los ojos mientras duerme", dice.

ENFERMEDADES

Sugerencias para que siempre esté saludable

En mi familia hay antecedentes de problemas cardíacos. Quizás me toque sufrir de ellos también o quizás no. Total, ¿para qué me voy a preocupar? A fin de cuentas, está en manos de Dios".

¿Le suena familiar?

Muchas personas tienen esta actitud fatalista con respecto a las enfermedades. Piensan que envejecer y enfermarse van de la mano, que sus "piezas" se van a descomponer igual que las de un auto viejo. No obstante, no tiene que ser así. No hay que aceptar la enfermedad como un resultado inevitable del destino, la genética o como parte del plan infinito de Dios.

"Hay algunas enfermedades que por cierto pueden tener un componente genético, pero las pruebas demuestran claramente que existen otros aspectos ambientales —como el estilo de vida— que desempeñan un papel clave", dice Julie Buring, Sc.D., profesora de Cuidado de Pacientes Ambulatorios y Prevención de la Facultad de Medicina de Harvard en Cambridge, Massachusetts. "Independientemente de que desarrollemos, por ejemplo, una enfermedad del corazón o cáncer, esto no es algo que esté totalmente fuera de nuestro control. Hay muchas cosas que podemos hacer para disminuir el riesgo que corremos".

Es más, nunca es demasiado tarde para hacer cambios positivos en su estilo de vida, incluso aunque usted sea una fumadora de cincuenta y tantos años de edad y tenga sobrepeso. "Tal vez usted piense que quizá debió de optar por llevar una vida más sana desde que era adolescente —y es cierto que entre más temprano empiece, mejor— pero se ha encontrado que incluso cuando las personas de edad avanzada dejan de fumar o empiezan a hacer ejercicio, su salud global se ve enormemente beneficiada", dice la Dra. Buring.

Una mujer común de 40 años de edad todavía tiene otros 40 años de vida por delante. Entonces, empiece a hacer cambios saludables desde ahora y siéntase igual de bien —o incluso mejor— a lo largo de la segunda mitad de su vida que como se sintió durante la primera.

Estrategias básicas para evitar enfermedades y mantenerse saludable

Gracias a los hombres y mujeres que visten batas de laboratorio y que le han dedicado horas interminables a la investigación, ahora sabemos que existen medidas preventivas específicas que podemos tomar para disminuir nuestro riesgo de contraer muchas enfermedades conforme vamos envejeciendo. A continuación le mostramos 10 cosas clave que puede empezar a hacer desde hoy que la ayudarán a mantenerse saludable y sintiéndose joven.

Córtele al cigarro. El cáncer del pulmón, las enfermedades cardíacas, los derrames cerebrales, la presión arterial alta, la osteoporosis: es interminable la lista de enfermedades asociadas con el envejecimiento cuyo riesgo aumenta en las personas que fuman. Y ni hablar de las arrugas y los dientes manchados que la hacen verse mucho más vieja de lo que en realidad es. Si no fuma, levante su mano derecha y jure que nunca fumará. Luego, dése una palmadita en la espalda. Si fuma, deje de fumar. "Sin duda, es una de las mejores cosas que puede hacer por su salud", dice la Dra. Elizabeth Ross, una cardióloga del Centro Hospitalario de Washington en Washington, D. C. Al cabo de unos minutos de darle el último jalón (chupada) a su último cigarrillo, su presión arterial y pulso bajan a niveles normales. Y después de tan sólo 24 horas, también disminuye su riesgo de sufrir un ataque al corazón.

Agregue actividad. El 62 por ciento de los latinos tienen un estilo de vida sedentario y sólo el 9 por ciento de las latinas informan que hacen ejercicio regularmente. Si todas sabemos que el ejercicio es bueno para la salud, ¿por qué tantas de nosotras somos tan inactivas? Quizá sea porque hasta la fecha no hayamos encontrado una actividad divertida que nos motive a seguirla realizando. O quizá creamos que no tenemos tiempo. Sin embargo, hacer ejercicio se lleva mucho menos tiempo del que una cree.

"No tiene que ir a un gimnasio todos los días ni convertirse en maratonista para obtener los beneficios del ejercicio —dice la Dra. Buring—. La recomendación actual de actividad física es algo que virtualmente todas podemos hacer". Dicha recomendación es de 30 minutos acumulados de actividad física moderada la mayoría de los días de la semana. Sacar a pasear al perro, trabajar en el jardín, hacer los quehaceres. . . todo eso cuenta.

Controle su peso. No es un secreto que tendemos a aumentar de peso conforme pasan los años. Un vientre creciente puede parecerle una parte inofensiva y natural del envejecimiento, pero en realidad, no lo es. "En este país, las personas aumentan un promedio de 7 libras (3 kg) por década", dice la Dra. Buring.

Y si lo vamos sumando, el resultado final es un aumento de peso bastante considerable. Si usted pesaba 125 libras (57 kg) a los 20 años de edad, esto significa que la pesa (báscula) se va a parar en 160 libras (73 kg) para cuando llegue a los 70 años de edad. Esta tasa de aumento de peso la pone en riesgo de desarrollar bastantes enfermedades, entre ellas diabetes, enfermedades cardíacas, artritis e incluso cálculos en la vesícula biliar.

Bajar de peso no es fácil. Entonces lo mejor que puede hacer es no subir de peso para empezar. "Enfóquese en mantener su peso en lugar de tratar de perder esos kilitos de más después de haber subido de peso", dice la Dra. Buring.

Si ya subió un poco de peso, trate de bajar sólo 10 libras (4.5 kg). Aunque sólo baje un poco de peso, esto puede servir de mucho para ayudar a mejorar su estado si usted tiene un problema como artritis o presión arterial alta, dice la Dra. Buring.

(Para más información sobre cómo adelgazar, vea el capitulo "Sobrepeso" en la página 135).

Atasque su plato de frutas y verduras. Sí, es cierto. Una de las claves para vivir una larga vida y libre de enfermedades se encuentra en la sección de frutas y verduras de cualquier supermercado. De hecho, en un estudio de 52 italianos de 70 años de edad o mayores, se encontró que las personas sanas de más de 100 años de edad comían más del doble de verduras que las personas más jóvenes.

Esto no nos cae de sorpresa, dado que comer cinco raciones de frutas y verduras al día se ha asociado con un menor riesgo de contraer diversas enfermedades, incluyendo cáncer y derrames cerebrales. Y los investigadores han identificado todo tipo de componentes saludables en las frutas y verduras que comemos. Las frutas y verduras no sólo son una fuente natural de antioxidantes, vitaminas, minerales y fibra, sino que también contienen fitonutrientes como la quercetina, el licopeno, los flavonoides y el ácido elágico, los cuales son protectores cardíacos y potentes combatientes contra el cáncer.

Bájele a la grasa. La grasa en exceso le hace muchas cosas espantosas a nuestro cuerpo. Primero, nos puede tapar las arterias del corazón y obstruirnos los vasos del nuestro cerebro, colocándonos en riesgo de desarrollar enfermedades del corazón y derrames cerebrales. La grasa excesiva también puede estimular demasiado nuestra vesícula biliar y crear las condiciones necesarias para que se formen esos dolorosos cálculos biliares. Y por supuesto, un exceso de grasa puede hacer que engordemos, lo cual hace que aumente nuestro riesgo de desarrollar otras enfermedades, como cáncer y diabetes.

La mayoría de los expertos concuerdan en que una alimentación baja en grasa es aquella en la que no más del 25 por ciento (y de preferencia, menos) del total de calorías provienen de la grasa. Aunque los consumos calóricos entre las mujeres pueden variar mucho, la mayoría de los expertos indican que un total de 1,800 calorías al día cumplirá con las necesidades alimenticias de la mujer común. El 25 por ciento de 1,800 es 450 calorías, o sea, 50 gramos de grasa. Por lo tanto, si quiere asegurar que su alimentación sea baja en grasa, trate de no consumir más de 1,800 calorías al día y limite su consumo de grasa a no más de 50 gramos. Puede hacer esto al comer muchas frutas y verduras, poca carne roja y dulces, más fijarse bien en las calorías y grasa contenida en los alimentos. También debe revisar bien las etiquetas que listan información nutritiva en los alimentos empacados.

Ahora bien, aunque sí nos conviene controlar nuestro consumo de grasa para cuidarnos, esto no quiere decir que la grasa en sí sea la mala de la película. Es necesaria para ciertas funciones del cuerpo; si no consumiéramos nada de grasa, no podríamos vivir. Además, hay que reconocer que hay varios tipos de grasa. La principal grasa que debe limitar en su alimentación es la grasa saturada, que se encuentra en alimentos como la carne, la mantequilla y los productos lácteos. Los investigadores dicen que la mejor forma de disminuir el consumo de grasa saturada es limitar las raciones de carne a 3 ó 4 onzas (84 ó 112 gramos) al día, usar poca o nada de mantequilla, cambiarse a los productos lácteos bajos en grasa y cocinar con aceite de maíz (elote, choclo), *canola* u oliva.

Otro tipo de grasa con el que hay que tener cuidado es el que contiene ácidos transgrasos (*trans fatty acids*), los que se encuentran principalmente en la margarina y las meriendas (botanas, refrigerios, tentempiés) empacadas. Estos ácidos grasos pueden ser tan poco saludables para nuestro corazón como la grasa saturada. Usted puede disminuir su consumo de ácidos transgrasos usando margarina libre de estos. Para determinar si una marca dada de margarina los contiene o no, revise la lista de ingredientes. Si no ve *"partially hydrogenated oils"* (aceites parcialmente hidrogenados), entonces no los contiene. Otra maneras de ahuyentar a estos ácidos es limitar su consumo de meriendas que contengan aceites parcialmente hidrogenados. De nuevo, póngase a revisar la lista de ingredientes en la tienda para ver si le conviene llevarse esas galletitas (*cookies*) o magdalenas (*cupcakes*) a la casa.

Fortalézcase con fibra. Seguir una alimentación alta en fibra puede disminuir su riesgo de contraer diversas enfermedades, incluyendo enfermedades del corazón, diabetes, presión arterial alta, obesidad y diverticulosis. Y diversos estudios pequeños han sugerido que comer mucha fibra puede disminuir su riesgo de desarrollar cáncer del colon. ¿Cómo es que la fibra puede protegernos de tantas enfermedades tan diversas? Por una parte, la fibra actúa como una esponja conforme pasa a través de nuestro cuerpo, absorbiendo las sustancias potencialmente dañinas como el colesterol y ligándose al estrógeno excedente que se encuentra en el tracto digestivo, para luego eliminar dichas sustancias a través de las heces. La fibra también nos hace sentirnos satisfechas, entonces comemos menos.

El problema es que la mayoría de las personas sólo consumen de 11 a 13 gramos de fibra al día, lo que corresponde a más o menos la mitad de los 25 a 35 gramos que recomiendan los expertos. Para llenar su plato de fibra, agréguele más alimentos como frutas, verduras y frijoles (habichuelas), así como panes, cereales, arroz y pasta integrales.

Complemente lo que come. Nuestro cuerpo necesita vitaminas, minerales y otros nutrientes importantes para funcionar al máximo. Y si todas las personas siguieran una alimentación baja en grasas y alta en frutas y verduras, lo más probable es que obtendrían cantidades suficientes de estos nutrientes vitales, dice la Dra. Buring. Pero muchas de nosotras no lo hacemos. Por eso es tan importante que se tome un suplemento multivitamínico y de minerales que le brinde la Cantidad Diaria Recomendada de la mayoría de los nutrientes. Piense en su suplemento como si fuera un tipo de póliza de seguro para aquellos días en que su alimentación sea poco menos que ideal. Pero no vaya a creer sólo porque está tomando un suplemento que ya no tiene que seguir una alimentación sana, hacer ejercicio o dejar de fumar, agrega la Dra. Buring.

Otra buena razón para tomar un suplemento multivitamínico y mineral es la cantidad cada vez mayor de pruebas que demuestran que complementar su alimentación de esta forma puede ayudarla a evitar enfermedades. "Las personas que diariamente toman un suplemento multivitamínico y mineral presentan una menor probabilidad de sufrir un ataque al corazón", dice la Dra. Kathryn Rexrode, instructora de la Universidad Harvard en Cambridge, Massachusetts.

Esto podría deberse a que se ha encontrado que los nutrientes como el folato, la vitamina B_6, la vitamina E y el betacaroteno promueven la salud del corazón. El folato también puede ayudar a prevenir el cáncer del colon, el cáncer cervical y los derrames cerebrales. La vitamina D disminuye su riesgo de desarrollar cáncer del colon y osteoporosis. El calcio puede reducir el riesgo de desarrollar cáncer rectal, además de que previene la osteoporosis. La vitamina C y el magnesio pueden ayudar a fortalecer sus huesos y a mantener su presión arterial bajo control. El mineral selenio puede proteger a los hombres contra el cáncer de la próstata. Y se ha demostrado que el betacaroteno previene el cáncer en animales de laboratorio.

Con toda esta protección contenida en una sola pastilla, no es de sorprenderse que el 50 por ciento de los médicos tome suplementos o vitaminas. "Los beneficios de tomar un suplemento multivitamínico y de minerales no están absolutamente comprobados —dice la Dra. Rexrode—. Pero por otra parte, son bastante baratos y seguros".

Cuidadito con las copitas. Aunque tomar una bebida alcohólica al día puede disminuir su riesgo de morir, especialmente a causa de enfermedades del corazón, más de una la puede poner en riesgo de desarrollar toda una gama de enfermedades diversas, incluyendo cáncer de mama, derrames cerebrales y osteoporosis, explica la Dra. Marianne J. Legato, profesora de Medicina del Colegio de Médicos y Cirujanos de la Universidad de Columbia en la ciudad de Nueva York. Lo que es más, muchos especialistas del corazón ni siquiera recomiendan a sus pacientes que se tomen una copa al día.

"Si no toman o si toman sólo en raras ocasiones, yo no les aconsejo que empiecen a tomar —dice la Dra. Legato—. Si en efecto toman, yo les digo que no tomen más de una bebida al día". Entonces, si a usted le gusta disfrutar de una buena botellita de vino de vez en cuando, sírvase una sola copa y vuelva a ponerle el corcho para dejar lo que sobre para después.

Póngase a prueba. La mayoría de las mujeres se hacen la prueba de Papanicolau una vez al año como parte de su examen ginecológico anual. Sin embargo, muchas latinas no se la hacen. Algunos profesionales afirman que es por eso que las latinas son dos veces más propensas a sufrir cáncer

CORAZÓN LENTO = LARGA VIDA

Cuando analizamos las comodidades de la vida moderna —la comida rápida, las etiquetas *EZ Pass* que pagan por adelantado los peajes (cuotas) en las autopistas o las ventanillas exprés para conseguir medicamentos de la farmacia— casi todas parecen insinuar que mientras más rápido podamos hacer algo, mejor. Lo irónico es que cuando se trata de la longevidad, la lentitud es lo mejor. Los estudios de investigación han demostrado que las mujeres que tienen corazones más lentos viven más.

En un estudio de investigación de más de 7,000 mujeres francesas, se encontró que aquellas con una menor frecuencia cardíaca en reposo presentaban una menor probabilidad de morir casi de cualquier causa que aquellas con frecuencias cardíacas más elevadas. ¿Cuál es la mejor manera de lograr que un corazón acelerado lata menos aprisa? Haciendo ejercicio aeróbico regularmente, dicen los expertos. Sólo asegúrese de consultar a un médico antes de empezar con cualquier programa de ejercicio.

cervical que las norteamericanas. El examen Papanicolau ayuda a prevenir el cáncer cervical porque permite que su médico vea si hay anormalidades en las células del cérvix (cuello del útero); detectar estas es imprescindible para evitar o tratar el cáncer exitosamente. Por lo tanto, asegure de que se lo haga todos los años sin fallar.

Ahora bien, el Papanicolau no es la única prueba "salvavidas" que deberían hacerse regularmente las mujeres. Por ejemplo, después de los 40 años de edad, todas las mujeres deben incluir en su chequeo anual una mamografía (a una edad más temprana si existen antecedentes familiares de cáncer de mama) y una prueba para detectar el cáncer de la piel. Más adelante en este capítulo se discuten aún más pruebas de detección que no debe saltarse ninguna mujer.

Conozca sus factores de riesgo. Muchas enfermedades son hereditarias. Entonces es bueno que sepa qué es lo que esto significa en su caso particular. Si su padre, madre, hermano o hermana padece alguna afección como cáncer del colon o mama, por ejemplo, usted debe pedirle al médico que le haga las pruebas de detección recomendadas incluso a una edad más temprana, dice la Dra. Buring. Lo mismo aplica en el caso de la diabetes.

En cambio, cuando de trata del colesterol y la presión arterial alta, no tener antecedentes familiares no quiere decir que no sean necesarias las revisiones. ¡Qué va! Los expertos en salud dicen que usted debe medir su presión arterial y niveles de colesterol con regularidad. En el caso del colesterol, esto significa cada cinco años si sus niveles son normales. "Normal" se define como colesterol total de 150 o menor, con una proporción de colesterol total a lipoproteínas de alta densidad (*HDL* por sus siglas en inglés) de 4.0 o menor. Esta proporción, que le dice qué tanto de su colesterol total está conformado por HDL o colesterol "bueno", es una mejor medida para predecir el riesgo que corren las mujeres de desarrollar enfermedades del corazón que el colesterol total, las HDL, las lipoproteínas de baja densidad (*LDL* por sus siglas en inglés) o los triglicéridos, dicen los doctores. Si sus niveles de colesterol están elevados, entonces debe volver a hacerse la prueba después de 4 meses.

En cuanto a su presión arterial, la Asociación del Corazón de los Estados Unidos sugiere que se la revise al menos una vez cada dos años. Una lectura óptima es de menos de 120 sobre 80, y la normal es de menos de 130 sobre 85. Si le han encontrado una lectura más alta, decida junto con su doctor con cuánta frecuencia deberá revisársela.

"La presión arterial alta, que eleva significativamente su riesgo de sufrir un derrame cerebral, es una enfermedad silenciosa. Usted podría tenerla durante años sin siquiera darse cuenta —dice la Dra. Buring—. E incluso aunque siga una alimentación sana, podría tener el colesterol alto si otros de sus familiares lo tienen. Por esto, debe revisarse regularmente su presión arterial y el colesterol".

Es importante que sepa esto porque los niveles elevados tanto de presión arterial como de colesterol se asocian con un mayor riesgo de presentar afecciones serias, como enfermedades del corazón y derrames cerebrales, dice la Dra. Buring. Si sus niveles están altos, hay cosas que puede hacer para reducirlos, como hacer ejercicio y empezar a tener una alimentación baja en grasas. En algunos casos, puede que su médico quiera recetarle medicamentos para ayudarle a bajar sus niveles.

Párele el alto a las enfermedades antes de que empiecen

A medida que envejecemos, empezamos a sentirnos, bueno, viejas. Es posible que la empecemos a llevar con un poco más de calma y, como resultado, puede que nuestro cuerpo también se haga un poco más lento. Nuestras articulaciones nos duelen un poco más y se nos hace más difícil digerir la comida. Aquí es cuando la prevención de enfermedades a menudo se convierte en una prioridad en nuestras vidas, porque queremos estar sanas y vivir el mayor tiempo posible, sea que nos duelan nuestras articulaciones o no. Y es cierto que a mayor edad, mayor es el riesgo de desarrollar ciertas enfermedades. Pero casi todas las enfermedades que nos acortan la vida o nos hacen más lentas pueden prevenirse. Desde medidas alimenticias hasta la detección temprana, aquí le ofrecemos las mejores estrategias de prevención para la mayor parte de las enfermedades comunes que afectan a las mujeres.

Artritis

Esta afección es la principal causa de incapacidad en adultos en los Estados Unidos y ataca con mayor frecuencia a las mujeres que a los hombres. Al menos 26 millones de mujeres que viven en los Estados Unidos sufren de algún tipo de artritis. El tipo más común —la osteoartritis— tiende a ocurrir con mayor frecuencia en las personas de edad avanzada, haciendo su aparición generalmente entre los 45 y 65 años de edad. Esto se debe a que el cartílago que rodea a nuestras articulaciones se puede desgastar por años de uso. Sin el cartílago que les sirva de cojín, los huesos se frotan entre sí y causan dolor, rigidez e hinchazón. Diversas áreas son particularmente vulnerables, incluyendo las rodillas, la cadera, las muñecas, los dedos de las manos y los pies, el cuello y la espalda inferior.

Muchas personas pueden tener osteoartritis sin saberlo porque no presentan síntoma alguno, dice la Dra. Yvonne Sherrer, directora de investigación clínica del Centro de Reumatología, Inmunología y Artritis en Fort Lauderdale, Florida. Esto se debe probablemente a que ciertos factores del estilo de vida, los cuales describiremos más adelante, pueden evitar que una persona presente los síntomas de esta afección. Estas son las tácticas clave que recomiendan los expertos para evitar que la osteoartritis —o cuando menos sus síntomas— le empiecen a dar lata a sus huesos.

Libérese de las libras de más. Entre más pese, mayor será el esfuerzo que tendrán que soportar ciertas articulaciones. Y entre mayor sea el esfuerzo al que someta a sus articulaciones, mayor será el desgaste. Es sentido común. "Ya se sabe que si una persona se mantiene en su peso ideal presenta una menor probabilidad de tener problemas de osteoartritis en las rodillas", dice la Dra. Sherrer. Si usted tiene sobrepeso, incluso bajar tan sólo de 10 a 20 libras (4.5 a 9 kg) de peso puede disminuir sustancialmente su riesgo de desarrollar los síntomas de la osteoartritis, dice.

Ejercítese. Los músculos fuertes se traducen en articulaciones más sanas. Esto se debe a que si sus músculos están débiles, no pueden proteger eficazmente a la articulación que rodean y eventualmente pueden causar que pierda la alineación correcta, explica la Dra. Sherrer. Como resultado, se hace necesario que ciertas áreas de las articulaciones soporten muchísima presión. Pero si usted hace ejercicio regularmente, aumentará su fuerza muscular, lo cual le ayudará a proteger adecuadamente sus articulaciones y las hará más flexibles. Las actividades que no someten a sus articulaciones a un gran esfuerzo, como caminar y nadar, son las mejores.

No se exceda. Los atletas profesionales son más propensos a la osteoartritis porque tienden a usar excesivamente sus articulaciones. Esto acelera el proceso de desgaste, dice la Dra. Sherrer. "Si usted abusa de sus articulaciones, entonces tendrá que pagar el precio —dice—. Y los atletas son el grupo que más se destaca cuando se trata de someter a las articulaciones a un esfuerzo excesivo".

Cáncer

El cáncer, esa enfermedad a la que todas las mujeres le temen, es la segunda causa de muerte en los Estados Unidos. Se calcula que más de la mitad de las muertes a causa de cáncer están relacionadas con el cáncer de pulmón, de mama o colorrectal.

El riesgo de desarrollar cáncer aumenta con la edad. Consideremos, por ejemplo, el cáncer colorrectal. Una de cada 150 mujeres de 40 a 59 años de edad desarrollaron este tipo de cáncer de 1993 a 1995. Si consideramos a las mujeres de 60 a 79 años de edad, esta proporción se eleva a 1 de cada 32.

"La mayoría de los cánceres que les dan a los adultos incrementan dramáticamente con la edad", dice el Dr. Demetrius Albanes, investigador principal de la División de Estudios para la Prevención del Cáncer del Instituto Nacional del Cáncer en Bethesda, Maryland. Los científicos no saben con certeza por qué el cáncer es principalmente una enfermedad que ataca a las personas mayores, dice, pero tienen la teoría de que se lleva muchos años de exposición a diversos carcinógenos para que eventualmente se produzca el daño genético que resulta en cáncer. Y piensan que es posible que el debilitamiento de nuestras defensas internas que ocurre con el paso de los años también desempeñe un papel en el desarrollo de esta enfermedad.

Existe al menos un tipo común de cáncer que es la excepción a regla de la edad y que se conoce como melanoma, un tipo de cáncer de la piel que es potencialmente mortal. "El melanoma es en realidad una enfermedad de personas jóvenes", dice la Dra. Jessica Fewkes, profesora de Dermatología de la Facultad de Medicina de Harvard en Cambridage, Massachusetts. "Si vemos al grupo más grande, la edad media está alrededor de los 40 años".

Independientemente de que usted tenga 30, 40 ó 60 años de edad, puede tomar medidas para disminuir su riesgo de desarrollar cualquier tipo de cáncer. Lo más importante que puede hacer es lo obvio: dejar de fumar. El tabaquismo es el culpable de hasta un 90 por ciento de todos los casos de cáncer del pulmón. Además, el cáncer del pulmón mata a alrededor de 25,000 más mujeres al año que el cáncer de mama. Si fuma, dejarlo ahora puede disminuir drásticamente su riesgo. Cinco años después de haberse quitado el vicio, el riesgo de una exfumadora de morir de cáncer del pulmón disminuye más o menos a la mitad. Y después de 10 años de no fumar, su riesgo es similar a aquel de alguien que nunca ha fumado.

Mantener su peso dentro de un rango saludable y seguir una alimentación baja en grasa dietética también le puede ayudar a disminuir su riesgo de desarrollar cáncer del pulmón, mama y colon, dice el Dr. Albanes. Lo mismo ocurre cuando hace ejercicio con regularidad, agrega. De hecho, en un estudio de investigación de más de 1,800 mujeres, se encontró que aquellas que eran moderadamente activas presentaban un riesgo 50 por ciento menor de desarrollar cáncer de mama. Las mujeres que realizaban alguna actividad más vigorosa —como nadar o correr al menos una vez por semana— presentaban una probabilidad un 80 por ciento menor de desarrollar cáncer de mama que las mujeres inactivas.

Sin importar si usted tiene o no antecedentes familiares de cáncer, usted puede disminuir aún más su riesgo de desarrollar cáncer al aplicar estas medidas preventivas.

Recuerde este nuevo refrán. La próxima vez que se siente a la mesa, recuerde este refrán: la comida en su plato define su destino. No tiene el mismo caché que los refranes de mamá, pero aun así le conviene aprendérselo, ya que los estudios de investigación lo respaldan.

En un análisis de más de 200 estudios de investigación, se demostró que una alimentación rica en frutas y verduras disminuye su riesgo de contraer cáncer a la mitad. Consumir muchas frutas y verduras puede ayudar a prevenir los tres tipos de cáncer que son responsables de más muertes: los de pulmón, mama y colon, dice el Dr. Albanes. Los investigadores no creen que las frutas y verduras tengan un único componente específico que proteja contra el cáncer sino más bien una multitud de componentes. Entre ellos están el betacaroteno, que se encuentra en las batatas dulces (camotes, *sweet potatoes*) y las zanahorias, la vitamina C, que se encuentra en los pimientos (ajíes, pimientos morrones) verdes y las frutas cítricas, así como otros fitonutrientes como los isotiocianatos, los que se encuentran en el brócoli. Para aumentar su probabilidad de mantenerse libre de cáncer, procure comer al menos cinco raciones de frutas y verduras al día.

Fulmínelo con fibra. Tal vez usted ha escuchado que quizá la fibra no sea tan benéfica para prevenir el cáncer del colon como se pensaba. Esto se basa en los hallazgos de un estudio de casi 89,000 enfermeras que obtenían la mayor parte de su fibra de las frutas y verduras pero comían muy poca de la fibra que se encuentra en el salvado de trigo, que en muchos otros estudios de investigación se ha demostrado que previene el cáncer del colon. Se están llevando al cabo más estudios de investigación para confirmar los beneficios de la fibra, pero mientras se den a conocer sus resultados, tome en cuenta que incluso los autores del estudio de las enfermeras dicen que es muy importante seguir una alimentación alta en fibra.

¿Cómo puede la fibra ayudar a prevenir el cáncer del colon? Al hacer que las heces pasen más rápido a través del cuerpo. Eso es importante porque entre menos tiempo permanezcan en el colon los compuestos nocivos de las heces, menor será la probabilidad de que causen daños.

Tener una alimentación alta en fibra también puede ayudar a disminuir su riesgo de contraer cáncer de mama. Esto se debe a que la fibra rutinariamente se liga con el estrógeno al nivel del tracto digestivo y lo elimina del cuerpo, explica el Dr. Albanes. Entre menor sea la cantidad de estrógeno a la que estén expuestas las mujeres durante toda su vida, menor será su riesgo de contraer cáncer de mama.

Que no esté quemada. En una encuesta de más de 900 mujeres, se encontró que aquellas que a menudo comían carne bien cocida, como carne para hamburguesa, filete de res o tocino, presentaban una probabilidad casi cinco veces mayor de desarrollar cáncer de mama que las mujeres que preferían comer la carne vuelta y vuelta (a la inglesa, poco asado) o término medio. Los investigadores dicen que esto puede ser el resultado de la exposición a compuestos que causan el cáncer llamados aminas heterocíclicas, que se forman en la carne y el pescado cuando se cuecen a temperaturas altas. Quizá usted pueda disminuir su riesgo de desarrollar cáncer de mama simplemente retirando ese filete de la parrilla antes de que se le formen esos bordes negros y crujientes.

Tómese un multivitamínico. Existen algunas pruebas de que un mayor consumo del mineral selenio y diversas vitaminas, como la A y la E, junto con algunos carotenoides, como el betacaroteno, puede disminuir su riesgo de contraer cáncer, dice el Dr. Albanes. "También se está investigando mucho el folato dietético", agrega. Y al menos en un estudio de investigación, donde se incluyeron a 930 personas, se sugiere que tomar cantidades adicionales de calcio puede ayudar a prevenir el cáncer del colon. Si bien aún no existen pruebas contundentes, no le haría daño tomarse un suplemento multivitamínico y de minerales todos los días.

Úntese filtro solar. A menos que trabaje en un submarino, lo más probable es que pase algo de tiempo bajo el sol. Lo mejor que puede hacer para proteger su piel de los rayos dañinos del Sol es usar un filtro solar. "Yo recomiendo un filtro solar con un factor de protección solar (*SPF* por sus siglas en inglés) de cuando menos 15 y protección total contra los rayos UVB/UVA", dice la Dra. Fewkes. Y si va a pasar bastante tiempo afuera, debe aplicarse nuevamente el filtro solar cada dos o tres horas, agrega.

Hágase pruebas. El cáncer es una enfermedad misteriosa. Usted puede hacer todo bien, desde no fumar hasta seguir una alimentación sana, y un día encontrarse una bolita que resulta ser maligna. Quizá esto se deba a que la enfermedad a menudo tiene un componente genético, especialmente en el caso del melanoma, el cáncer de mama y el cáncer del colon. Debido a que no es posible disminuir su riesgo de contraer cáncer en un 100 por ciento, es importante hacerse pruebas que puedan detectar un tumor incluso antes de que usted presente síntomas, ya que esta es la etapa en que el cáncer es más curable.

Según el Instituto Nacional del Cáncer, las mujeres deben hacerse una mamografía cada año y deben autoexaminarse los senos cada mes desde que cumplen 40 años para ayudar a detectar el cáncer de mama en sus etapas más tempranas. También deben pedirle al médico un examen clínico de los senos cada vez que acudan a su chequeo ginecológico anual. Algunos doctores sugieren que las mujeres empiecen a hacerse mamografías anuales a partir de los 50 años de edad, pero los estudios de investigación han mostrado que las mujeres menores de 50 años a quienes les detectan cáncer de mama a través de una mamografía tienen un 90 por ciento de probabilidades de sobrevivir, en comparación con la tasa de supervivencia del 77 por ciento de las mujeres a quienes les detectaron cáncer durante un examen clínico de los senos.

Para detectar el cáncer colorrectal —el cual es altamente curable cuando se detecta a tiempo—, las mujeres mayores de 50 años deben hacerse una prueba de sangre oculta en las heces (*fecal occult blood test*) al menos cada dos años. En un estudio de 18 años de duración realizado por investigadores de la Universidad de Minnesota, se encontró que esta prueba sencilla puede conducir a una disminución del 33 por ciento en el número de muertes si se hace cada año. Cuando se hacía cada dos años, la disminución en el número de muertes fue del 21 por ciento.

Para adelantarse al cáncer de la piel, debe consultar a un dermatólogo para que le haga una prueba de detección de cuerpo entero cada año si tiene más de 41 años de edad o cada tres años si tiene entre 20 y 40 años de edad. Y también deberá estar alerta para detectar cualquier cambio en sus pecas y lunares porque resulta que alrededor de la mitad de todos los melanomas son descubiertos por los pacientes.

Diabetes

La diabetes afecta a más de 15 millones de personas en los Estados Unidos y alrededor de 8 millones de estas personas son mujeres. Además, la mayoría de las personas con diabetes tienen 65 años de edad o más. Esta enfermedad se vuelve más común conforme envejecemos por un par de razones. Primero que nada, tendemos a subir de peso gradualmente al pasar los años y eso hace que aumente nuestro riesgo de sufrir diabetes. Asimismo la diabetes a menudo no se diagnostica sino hasta años después de su aparición, lo que hace parecer que las personas de la tercera edad son más propensas a desarrollar esta enfermedad. Sin embargo, en realidad probablemente es mucho más común de lo que pensamos entre la población de edad *mediana*, dice la Dra. Judith Gore Gearhart, profesora de Medicina Familiar de la Universidad de Mississippi en Jackson.

Las personas con diabetes tipo II (la que aparece en la edad adulta), presentan niveles elevados del azúcar llamado glucosa en la sangre. Esta acumulación de azúcar se puede dar por dos causas distintas: puede ser que el cuerpo no esté produciendo suficiente insulina, la cual sirve para descomponer y utilizar la glucosa, o puede ser porque la insulina ya no esté cumpliendo adecuadamente con su función. A menudo, la diabetes puede ser el resultado de una combinación de ambas causas. Los niveles elevados de glucosa pueden conducir a toda una gama de complicaciones, incluyendo ceguera, enfermedades renales y enfermedades del sistema nervioso. Las personas con diabetes también presentan una probabilidad de dos a cuatro veces mayor de sufrir de enfermedades del corazón o derrames cerebrales que otros adultos sin diabetes.

Pero *sí* existen factores clave del estilo de vida que pueden disminuir significativamente su riesgo de desarrollar diabetes. Las siguientes sugerencias de nuestros expertos pueden ayudarla a prevenir esta enfermedad y muchas de las complicaciones que la acompañan.

Guarde la línea. Las personas con sobrepeso presentan una probabilidad mucho mayor de desarrollar diabetes. "A medida que una persona aumenta más y más de peso, se vuelve resistente a la insulina", dice la Dra. Gearhart. Esto significa que los receptores de las células que ayudan a que funcione la insulina no son sensibles a ella. Los receptores son como un cerrojo y la insulina es la llave. No obstante, cuando una persona es resistente a la insulina, la llave no entra en el cerrojo. "Perder peso mejora la sensibilidad a la insulina y ayuda enormemente al control de la glucosa —dice—. De hecho, muchas personas son capaces de controlar su diabetes sin medicamentos cuando bajan de peso lo suficiente".

Póngase en movimiento. Hacer ejercicio con regularidad también puede mejorar la sensibilidad a la insulina y puede ayudarla a perder peso, dice la Dra. Gearhart. De hecho, el ejercicio aeróbico mejora casi de inmediato su nivel de azúcar en la sangre y su respuesta a la insulina. . . al menos temporalmente. Y si hace ejercicio todos los días, se convierte en un efecto a largo plazo, explica John Duncan, Ph.D., un fisiólogo del ejercicio de la Universidad Femenina de Texas en Denton. Por esto le recomendamos a las personas con diabetes que hagan ejercicio cinco días a la semana, dice.

Pida la prueba. La diabetes tiende a ser una enfermedad hereditaria. Si usted tiene antecedentes familiares de diabetes —o si tiene sobrepeso, presión arterial alta, colesterol alto o cualquier síntoma como sed intensa o micción frecuente— pregúntele a su doctor si debe hacerse la prueba de glucosa en plasma en ayunas, la cual mide la cantidad de glucosa que hay en su sangre después de un ayuno de ocho horas. Entre más temprano detecte la diabetes, más temprano podrá controlarla. "Muchas personas padecen esta enfermedad durante varios años antes de que se las diagnostiquen —dice la Dra. Gearhart—. Y como resultado, es posible que ya tengan daños en los órganos".

Todas las personas mayores de 45 años de edad deben hacerse la prueba, independientemente de que tengan o no antecedentes familiares de diabetes. Si el resultado de la prueba es normal, entonces deberá repetirse cada tercer año después de eso.

Enfermedades del corazón y derrames cerebrales

Pregúntele a la mayoría de las personas que cuál es la causa principal de muerte en mujeres y lo más probable es que le respondan cáncer de mama. Es una buena respuesta, pero no es la respuesta correcta. Las enfermedades del corazón son la causa principal de muertes tanto en hombres *como* en mujeres en los Estados Unidos. De hecho, el riesgo que corre una mujer de morir de un ataque al corazón es cinco veces mayor que el riesgo de morir de cáncer de mama.

La mayoría de las mujeres no están conscientes de su riesgo de desarrollar alguna enfermedad del corazón porque creen que esta es una enfermedad de los hombres. . . al igual que muchos doctores creyeron durante mucho tiempo, dice la Dra. Ross. Probablemente se ha prestado más atención a los hombres porque ellos tienden a desarrollar enfermedades del corazón una década antes que las mujeres, especula ella. "Se piensa que el estrógeno quizá sea lo que protege a las mujeres antes de que lleguen a la menopausia", agrega.

Los derrames cerebrales —que son como un ataque al corazón que ocurre en el cerebro— son la tercera causa principal de muerte en los Estados Unidos. Un derrame cerebral generalmente ocurre cuando se tapa un vaso sanguíneo en el cerebro, ya sea por un coágulo sanguíneo o por la misma acumulación de placa (depósitos grasientos en las arterias) que pueden causar un ataque al corazón. Como resultado, se priva de sangre y oxígeno a una parte del cerebro y las células que están en esa región del órgano mueren.

Los ataques al corazón y los derrames cerebrales ocurren repentinamente, pero las condiciones que los causan tardan años en desarrollarse. Para empezar, el colesterol que tapa las arterias se acumula lentamente con el tiempo. Tendemos a aumentar gradualmente de peso conforme envejecemos. Y la mayoría de las personas con diabetes —que es uno de los factores de riesgo más importantes para las enfermedades del corazón y los derrames cerebrales— tienen 65 años de edad o más. La presión arterial alta, otro de los factores de riesgo importantes para ambas enfermedades, es más común en las mujeres de 55 años o más de edad. "Existen muchos factores de riesgo que contribuyen a las enfermedades del corazón y los derrames cerebrales —dice la Dra. Ross—. Y muchos de estos factores de riesgo se hacen más comunes conforme envejecemos".

Dado que estas dos enfermedades presentan causas y factores de riesgo similares, la mayoría de las medidas que puede tomar para prevenir una enfermedad también le servirán para prevenir la otra. Consideremos, por ejemplo, la alimentación. Comer alimentos bajos en grasas y altos en fibra previene tanto las enfermedades del corazón como los derrames cerebrales al ayudarla a mantener un peso bajo, una presión arterial baja y sus arterias despejadas. Controlar su peso —especialmente esos kilitos que tienden a instalarse a la mitad de su cuerpo— disminuye su riesgo de presentar ambas enfermedades. Lo mismo sucede cuando reduce su estrés. Cuando está bajo estrés, su cuerpo produce sustancias químicas que, con el tiempo, pueden hacer que sus arterias y vasos sanguíneos se vuelvan rígidos, lo que crea las condiciones necesarias para que se acumule el colesterol, explica la Dra. Ross. Entonces encuentre maneras de relajarse. Haga ejercicio, dése un baño con agua caliente, lea una novela romántica, cualquier cosa que le funcione.

Existen muchas otras maneras de prevenir las enfermedades del corazón y los derrames cerebrales. Aquí le brindamos más estrategias para lograr que su corazón y su cerebro estén a prueba de enfermedades.

Quítese el vicio. Los expertos con los que hablamos dijeron que la cosa más importante que pueden hacer las mujeres para disminuir su riesgo de desarrollar enfermedades del corazón es dejar de fumar —o mejor aún— nunca empezar a fumar. "Si usted deja de fumar hoy, su riesgo de desarrollar enfermedades del corazón ya será menor mañana —dice la Dra. Ross—. Las pacientes siempre dicen que el daño ya está hecho, entonces no importará si dejan o no de fumar. ¡Claro que importa!" Después de tres meses de haber dejado de fumar, mejora su circulación. Después de un año, su riesgo de desarrollar enfermedades del corazón es la mitad de aquél de una persona que fuma. Y para cuando cumple 15 años sin fumar, su riesgo es el mismo que el de una persona que nunca haya fumado.

El tabaquismo también es un factor de riesgo para los derrames cerebrales. De hecho, probablemente es el segundo factor de riesgo más importante, después de la presión arterial alta, dice la Dra. Rexrode. Esto se debe a que fumar hace que se contraigan los vasos sanguíneos, acelera la formación de depósitos de placa y facilita la formación de coágulos en la sangre. Entonces, apagar ese cigarrillo para siempre beneficiará tanto su corazón *como* su mente.

Encuentre el tiempo para activarse. Hacer ejercicio con regularidad previene las enfermedades del corazón y los derrames cerebrales de diversas formas. Para empezar, la actividad física baja la presión arterial y

OBTENGA LOS BENEFICIOS DEL VINO SIN TOMÁRSELO

Casi todas hemos escuchado la última noticia sobre el alcohol: una copa de vino tinto al día puede disminuir nuestro riesgo de desarrollar enfermedades cardíacas. Pero para las que no tenemos el hábito de usar el sacacorchos, todavía hay maneras que disfrutar de los beneficios que el vino le brinda a la salud. Por ejemplo, puede beber un delicioso vaso de jugo de uva.

Los flavonoides que se encuentran tanto en el vino tinto como en el jugo de uva morada ayudan a prevenir la aglomeración de las plaquetas, haciendo menos probable que se formen coágulos que puedan provocar un ataque al corazón. En un estudio realizado por investigadores de la Universidad de Wisconsin, se encontró que en las personas que tomaron dos vasos de 5 onzas (150 ml) de jugo de uva morada al día durante una semana, se redujo la tendencia a formar coágulos de sangre en un 60 por ciento. Sólo asegúrese de escoger jugo de uva morada hecho con uvas de Concord. Los jugos de uva roja y blanca no tienen el mismo efecto.

los niveles de estrés y mejora el colesterol al elevar los niveles de HDL. También la ayuda a mantenerse delgada. El ejercicio aeróbico, como caminar aprisa, andar en bicicleta y nadar, le ayuda a mantener a su sistema cardiovascular en excelente forma. "El ejercicio ataca todas aquellas cosas que nos ponen en riesgo de sufrir de enfermedades del corazón y derrames cerebrales", dice la Dra. Ross.

Recuerde las frutas y verduras. Las frutas y verduras contienen todo tipo de compuestos que son buenos para el corazón y el cerebro, desde antioxidantes hasta minerales como el potasio, el cual ayuda al disminuir la presión arterial, dice la Dra. Ross. De hecho, en un estudio de investigación de más de 87,000 enfermeras, se encontró que las mujeres que comían la mayor cantidad de frutas y verduras presentaban una probabilidad un 40 por ciento menor de tener un derrame cerebral que aquellas que comían la menor cantidad de estos alimentos. Y los expertos dicen que comer al menos cinco raciones de frutas y verduras al día también es bueno para su corazón.

Recurra al reemplazo. Las mujeres que han usado la terapia de reposición hormonal presentan una incidencia de un 40 a un 50 por ciento menor de enfermedades del corazón, dice la Dra. Legato. El efecto protector del estrógeno ayuda a explicar por qué la tasa de enfermedades del corazón en mujeres aumenta sustancialmente después de la menopausia. El estrógeno protege el corazón de varias formas. Primero, la hormona tiene un efecto positivo sobre el colesterol, pues mantiene elevados los niveles de HDL o colesterol "bueno". También puede bajar la presión arterial al mantener los vasos sanguíneos relajados y bien abiertos.

"Yo creo que todas las mujeres deben considerar la terapia de reposición hormonal —dice la Dra. Ross—. Incluso puede que una de las terapias de estrógeno más nuevas también brinde protección contra el cáncer de mama".

La terapia de reposición hormonal también puede ayudar a prevenir los derrames cerebrales. En un estudio de investigación donde se compararon mujeres posmenopáusicas que usaron estrógeno durante períodos prolongados contra mujeres que no lo usaron, las mujeres que sí tomaron estrógeno mostraron una reducción del 73 por ciento en el riesgo de morir de problemas vasculares como los derrames cerebrales. Dados todos los beneficios posibles del estrógeno, las mujeres realmente deben hablar con su médico para ver si les conviene la terapia de reposición hormonal, dice la Dra. Ross.

Empáquese más E. Los antioxidantes como la vitamina E pueden ayudar a proteger su corazón de la devastación que causan los radicales libres, que son moléculas de oxígeno nocivas que produce su cuerpo y que dañan los tejidos. En el interior de su cuerpo, los radicales libres que andan sueltos hacen que el colesterol se adhiera a las paredes de las arterias y las tape. La vitamina E puede ayudar a prevenir la acumulación de colesterol al deshacerse de los radicales libres antes de que tengan la oportunidad de hacer cualquier daño.

Las pruebas son tan convincentes que algunos doctores incluso les recomiendan vitamina E a sus pacientes. "Yo les recomiendo a mis pacientes que tomen suplementos de vitamina E, porque puede ser difícil obtener cantidades suficientes de esta vitamina cuando se sigue una alimentación baja en grasas", dice la Dra. Ross, quien sugiere que las mujeres tomen entre 200 y 400 unidades internacionales (UI) al día.

En cuanto a los derrames cerebrales, los estudios de investigación aún no han demostrado claramente que la vitamina E pueda prevenirlos, dice la Dra. Rexrode. "Hay una cantidad mucho mayor de datos convincentes con respecto a las enfermedades del corazón", agrega.

Caserita no te acuestes a dormir sin comer tu cucurucho de maní. Esta es parte de la letra de la canción clásica "El Manicero", donde el vendedor utiliza su canto (o pregón) para vender sus cacahuates (maníes) a las amas de casa. Escrita durante los años 20, parece que este tema sencillo estaba adelantado a su tiempo. Los estudios de investigación han mostrado que los frutos secos, como las almendras, las nueces y los cacahuates, pueden ser una parte importante de una alimentación saludable para el corazón. En un estudio de 10 años de duración que incluyó a más de 86,000 mujeres, unos investigadores de la Facultad de Salud Pública de Harvard encontraron que las mujeres que comían más de 5 onzas (140 gramos) de frutos secos a la semana presentaban una probabilidad un 33 por ciento menor de desarrollar enfermedades del corazón que aquellas que comían menos de 1 onza (28 gramos) al mes. Las grasas insaturadas que contienen los frutos secos ayudan a bajar el colesterol y los investigadores sugirieron que quizá sean estas grasas las que les confieren su efecto protector a los frutos secos. Los frutos secos también son ricos en otras sustancias saludables para el corazón: vitamina E, potasio, magnesio, proteína y fibra. Entonces si usted es una viajera frecuente, acepte gustosa la bolsita de cacahuates que le den en el avión.

Cuide sus dientes. ¿Cuál es la conexión que existe entre sus dientes, su corazón y su cerebro? Resulta que las bacterias que causan las enfermedades de las encías pueden viajar por el torrente sanguíneo hasta llegar a su corazón, donde pueden dañar las paredes o válvulas del mismo, explica la Dra. Ross. Las bacterias también pueden causar la liberación de factores de coagulación que pueden provocar un ataque al corazón o derrame cerebral, agrega ella. Las señales comunes de enfermedad de las encías son encías rojas e hinchadas y sangrado después de cepillarse. Para mantener sus encías —y su corazón y cerebro— saludables, cepíllese los dientes al menos dos veces al día, use hilo dental una vez al día y consulte a su dentista regularmente, sugiere la doctora.

Osteoporosis

Diez millones de personas que viven en los Estados Unidos tienen osteoporosis. . . y el 80 por ciento de estas son mujeres. El problema es que quizá usted ni sepa que tiene esta enfermedad hasta que sus huesos se vuelvan tan débiles que un golpecito o caída menor le provoque una fractura. De hecho, una de cada dos mujeres tendrá una fractura asociada con la osteoporosis en su vida, según la Fundación Nacional de Osteoporosis. Las mujeres son más propensas a desarrollar osteoporosis porque la caída drástica en el nivel de estrógeno que ocurre en la menopausia acelera la pérdida de masa ósea.

Aun así, los doctores les están enviando el mensaje a las mujeres de que esta realmente no es una enfermedad de la vejez. "Se ha dicho que la osteoporosis no es una enfermedad geriátrica, sino una enfermedad pediátrica (. . .) y en gran medida, esto es muy cierto", dice el Dr. Stanley Wallach, profesor de Medicina de la Universidad de Nueva York en la ciudad de Nueva York. Esto se debe a que los comportamientos que llevan a la osteoporosis —como no consumir suficiente calcio— a menudo comienzan en la infancia. Sin embargo, los doctores concuerdan en que nunca es demasiado tarde para hacer que los huesos vuelvan a crecer. Sólo tenga presente que a mayor edad, menor será su masa ósea basal inicial.

Incluso aunque usted ya no sea una adolescente, los expertos dicen que estas cinco estrategias pueden ayudarla a fortalecer su esqueleto.

Consuma los nutrientes correctos. Seguir una alimentación rica en calcio desde que una es niña es la mejor manera de hacer crecer y mantener los huesos fuertes, dice la Dra. Sherrer. Pero para muchas adolescentes y mujeres jóvenes, la leche, el queso y otras fuentes de calcio les están prohibidas. Esto se debe a que estos alimentos típicamente son altos en grasa, por tanto ellas los evitan para no subir de peso, dice la Dra. Sherrer. Ya que esta preocupación muchas veces empieza mientras las mujeres son adolescentes, pueden llevar años sin consumir suficiente calcio. Como resultado, el crecimiento de sus huesos no es adecuado durante sus principales años de desarrollo y terminan colocándose en riesgo de padecer osteoporosis más adelante en la vida.

Incluso las mujeres que ya tienen mucho tiempo de haber pasado por la adolescencia pueden beneficiarse de consumir suficiente calcio. Quizá ya no pueda *agregar* hueso, pero sí puede mantener el que ya tiene, dice el Dr. Wallach. Para irnos al grano, las mujeres premenopáusicas necesitan consumir 1,000 miligramos de calcio al día a través de su alimentación y suplementos, además de 400 UI de vitamina D, la cual ayuda al cuerpo a absorber el calcio. Las mujeres posmenopáusicas necesitan aún más: 1,500 miligramos de calcio y entre 600 y 800 UI de vitamina D.

Actívese. La actividad física es otra medida preventiva clave con la que se debe iniciar a una edad temprana y luego continuar a lo largo de toda la vida. Hacer ejercicio regularmente —tanto aeróbico, por ejemplo, caminar aprisa, como de levantamiento de pesas ligeras— no sólo fortalece y mantiene el hueso que tiene sino que también puede incrementar su masa ósea. A medida que usted hace crecer y fortalece sus músculos (los cuales están adheridos a sus huesos) también hace que sus huesos crezcan, explica la Dra. Sherrer. Trate de hacer 30 minutos de alguna actividad en la que tenga que soportar su propio peso, como caminar aprisa, al menos tres veces a la semana. Otros ejemplos de estas actividades incluyen correr, bailar, jugar tenis, e incluso jugar boliche. En contraste, nadar y andar en bicicleta son actividades en las que no tiene que soportar su propio peso.

Mídase la masa. Las mujeres deben hacerse una prueba para medirse la densidad ósea basal más o menos cuando lleguen a la menopausia y luego deben hacerse la prueba aproximadamente un año después de que haya empezado la menopausia, dice el Dr. Wallach. Su médico podrá comparar los números para determinar si ha perdido (o no ha adquirido suficiente) hueso. Si usted tiene antecedentes familiares de osteoporosis, debe hacerse la prueba antes. La prueba típica se conoce como absorciometría con un doble haz de rayos X (*DEXA* por sus siglas en inglés), la cual es una radiografía rápida e indolora que mide la densidad de la cadera y la columna.

Considere la terapia de reposición hormonal. La administración de estrógeno sintético a las mujeres cuyos cuerpos han dejado de producir esta hormona por su propia cuenta puede disminuir enormemente su riesgo de desarrollar osteoporosis. Esto se debe a que las mujeres que no están tomando estrógeno pueden perder hasta un 20 por ciento de su masa ósea en los cinco a siete años que siguen a la menopausia, haciéndolas más susceptibles a la osteoporosis. La terapia de reposición hormonal ayuda a conservar el hueso que ya tiene y, en algunos casos, puede agregar hueso, dice la Dra. Sherrer. Al igual que cualquier medicamento recetado por un médico, la terapia de reposición hormonal también tiene sus riesgos, ya que ciertos tipos de estrógeno, si no se toman de la forma adecuada, pueden provocar un ligero aumento en su riesgo de desarrollar cáncer de mama. Entonces hable con su doctor para preguntarle si a usted le conviene o no la terapia de reposición hormonal.

Evite los socialitos. Otra manera de prevenir la pérdida adicional de hueso es participando lo menos posible en las gracias sociales, dice el Dr. Wallach. "Lo que quiero decir es que debe evitar fumar, tomar alcohol y consumir cafeína en exceso —dice—. Estas tres cosas fomentan la pérdida ósea a cualquier edad".

¿Qué tanto es mucho? Fumarse hasta el número más pequeño de cigarrillos es perjudicial no sólo para sus huesos, sino también para su sistema cardiovascular, dice el Dr. Wallach. Puede tomar una bebida alcohólica al día, pero tomar más de eso puede debilitar sus huesos. Y en lo que respecta a la cafeína, más de tres tazas de café al día o su equivalente en sodas (refrescos) de cola puede provocar la pérdida ósea. Por lo tanto, sería mejor si optara por tomar la versión descafeinada de estas bebidas.

Problemas digestivos

Diversos problemas digestivos tienden a presentarse a medida que envejecemos. Uno de tales problemas es la diverticulosis, que es una afección particularmente común en las personas de más de 50 años de edad, en la que el revestimiento del intestino se abulta hacia fuera, formando pequeñas bolsas que se llaman divertículos. Estas bolsas se forman por la presión que se acumula por los residuos que están en el colon. La diverticulosis generalmente no produce dolor, pero si las bolsas se infectan, puede conducir a una afección dolorosa y más seria llamada diverticulitis.

Las personas mayores también presentan una probabilidad cinco veces mayor de sufrir de estreñimiento y el estreñimiento crónico puede conducir a la diverticulosis, así como a las hemorroides (almorranas). Y la población mayor de 60 años tiende a tener menores cantidades de ácido en el estómago, lo cual hace que estas personas sean más propensas a la gastritis (inflamación del revestimiento del estómago).

Además, los cálculos en la vesícula biliar, que son muy dolorosos, afectan a aproximadamente una de cada cinco personas de más de 65 años de edad —en su mayoría mujeres— debido en parte a que la vesícula biliar quizá ya no se contrae tan bien cuando somos mayores, explica la Dra. Melissa Palmer, una gastroenteróloga y hepatóloga de Plainview, Nueva York. Como resultado, eso que contiene la vesícula biliar que ayuda al cuerpo a digerir la grasa puede formar cálculos duros y estos cálculos pueden tapar los conductos de la vesícula biliar o aquellos que llegan hasta el intestino delgado.

Todas estas afecciones digestivas pueden ser tratadas, pero hay cosas que usted puede hacer para ayudar a prevenirlas. Con estas medidas alimentarias y preventivas, usted y sus intestinos pueden mantenerse libres de problemas ya bien adentrada en su década de los 70 años y más allá.

Favorezca la fibra. Seguir una alimentación alta en fibra puede ayudar a prevenir un número de problemas digestivos, incluyendo el estreñimiento, las hemorroides, la diverticulosis y quizá hasta los cálculos biliares. Esto se debe principalmente a que una alimentación rica en fibra disminuye la presión que se genera en el intestino, dice la Dra. Susan Gordon, profesora de Medicina de la Universidad MCP–Hahnemann en Filadelfia, Pensilvania. Los expertos recomiendan que consuma de 25 a 35 gramos de fibra al día. Trate de distribuir su consumo de fibra comiendo alimentos como *Raisin Bran*, avena, un sándwich (emparedado) con pan integral, brócoli o una manzana con cada comida. O puede tomar *psyllium*, que es un suplemento de fibra natural, como el *Metamucil*, dice ella.

Benefíciese al beber. Otra manera de disminuir la presión en el intestino es tomando suficientes líquidos. "Usted necesita una cantidad suficiente de líquidos para que el intestino funcione bien en general —dice la Dra. Gordon—. Y para que la fibra funcione correctamente, necesita tener la cantidad adecuada de líquido en el intestino". Una buena regla práctica a seguir es tomar al menos ocho vasos de 8 onzas (240 ml) de líquidos como agua y jugos cada día. Pero las bebidas que contienen cafeína o alcohol en realidad la hacen perder más líquidos de los que está tomando a causa de su efecto diurético. Entonces estos no cuentan para su cuenta de ocho al día.

Pierda peso, pero lentamente. Las mujeres que tienen sobrepeso son más propensas a desarrollar cálculos biliares, dice la Dra. Gordon. Pero perder peso con demasiada rapidez también puede ponerla en riesgo de desarrollar estos cálculos dolorosísimos. Lo mismo puede provocar aumentar y bajar de peso con mucha frecuencia. Esta es una razón por la cual los doctores recomiendan que pierda no más de 1 a 2 libras (0.5 a 1 kg) a la semana.

Levántese del sofá. La actividad física puede ayudarla a hacer de vientre con regularidad. El ejercicio le da un empujón a su metabolismo, aumenta el flujo de sangre hacia el intestino y ayuda a que los residuos pasen a través de su cuerpo con mayor rapidez, dice la Dra. Gordon.

Revise sus medicinas. Si frecuentemente toma aspirina o fármacos antiinflamatorios no esteroídicos como *Advil* para la artritis u otra afección, es posible que se esté colocando en riesgo de desarrollar problemas digestivos. Estos fármacos —cuando se toman todos los días— a veces pueden lastimar el estómago, lo cual puede conducir a afecciones crónicas como gastritis y úlceras, dice la Dra. Gordon. Si disminuir su consumo de estos fármacos no es una opción, puede ayudarle tomar pastillas con capa entérica (*enteric-coated*), pero esto tampoco eliminará el riesgo, dice la Dra. Palmer.

GUARDARROPA

Cómo vestirse para lucir radiante y joven

El deseo: Usted entra a una fiesta y el cuarto entero se ilumina. Todas las personas voltean a verla con una sonrisa. Usted se ve fabulosamente juvenil, vivaz, a la moda. La gente se siente contenta sólo de poder estar con usted.

El temor: Usted entra a una fiesta y las personas se cubren los ojos y la boca para ocultar la pena ajena que sienten y la risa que les está dando. Usted se ve estrafalaria o ridícula porque su ropa es demasiado juvenil o alocada para usted.

La realidad: Usted entra a una fiesta y nadie la nota. Se ve igual que siempre porque le da miedo usar un estilo nuevo o diferente.

Nada puede quitarle años de encima a su imagen como la ropa correcta, pero cambiar la forma en que se viste es un negocio arriesgado. Todas tenemos un poco de miedo de cometer errores en la manera que vestimos. Entonces terminamos vistiéndonos de la misma forma en que siempre lo hemos hecho y actualizándonos sólo de poquito a la vez.

La buena noticia es que en realidad no hay necesidad de ser tan tímida. De hecho, con un poco de conocimientos y unos cuantos trucos que se puede sacar de la manga, usted puede adquirir un *look* más juvenil y hacer que su deseo se convierta en realidad, así como dejar su temor en el pasado.

Evite usar la ropa correcta incorrectamente

Tantas tiendas departamentales y tan poco tiempo. ¿Por dónde debe empezar?

Los *tips* que nos brinda la consultora en imagen Pat Newquist, dueña de Wardrobe Image en Tempe, Arizona, le ayudarán a encontrar las siluetas, prendas y accesorios que actualizarán su guardarropa al instante.

Evolucione gradualmente. Al igual que un cazador, avance con cautela. Newquist a menudo les dice a las clientes de su empresa, "Si no sabes cómo usarlo, te verás demasiado joven". Al principio, quédese con las prendas clásicas y agregue sólo unos cuantos artículos de moda. Avance un paso a la vez. De esta forma, incluso si comete un error, sólo será un error pequeño.

Detecte las tendencias. Una forma excelente de vestirse para adquirir un *look* juvenil es prestar atención a lo que está de moda, dice Newquist. Pero tendrá que trabajar un poco para identificar las tendencias que valgan la pena. El mejor lugar para empezar está en las revistas de moda. ¿Qué están usando las modelos? Observe los colores y los cortes. ¿Cuáles son los estilos que usted cree que se le verían bien?

Asimismo, preste atención a los anuncios y vea qué es lo que están usando las estrellas en los espectáculos de moda, música y premios cinematográficos. Esas personas se dedican al negocio de mantener una imagen actualizada y atractiva.

Estudie las marcas. Busque las marcas que tengan diseños que representen la interpretación madura de las tendencias juveniles. Por ejemplo, hace unos años, las mujeres más jóvenes estaban usando chamarras (chaquetas) de piel (cuero) ajustadas que les llegaban a la cintura. La diseñadora Dana Buchman les ofreció a sus clientes chamarras de piel que si bien lucían ajustadas, no eran tan apretadas y llegaban un poco más abajo que las prendas hechas para las mujeres más jóvenes.

Compras inteligentes

La creación de un guardarropa que le favorezca y desafíe el paso de los años empieza al seleccionar cuidadosamente lo que va a comprar. Newquist les da a sus clientes lineamientos específicos a seguir para cuando estén listas para atacar las tiendas.

Póngase elegante. "Cuando tenga planeado probarse ropa nueva, vístase muy elegante", dice Newquist. Póngase ropa interior bonita y unas pantimedias nuevecitas para que se sienta más cómoda con la imagen que verá en el espejo.

Primero pruébesela. Pase un fin de semana entero viendo ropa en las tiendas. No lleve dinero, sólo pruébese la ropa. Es importante que vaya sola para que esté libre de la influencia de otros. Diviértase: pruébese cualquier prenda que le llame la atención.

Opte por lo holgado. "Es mejor usar ropa holgada que apretada," dice Newquist. "La ropa holgada la hará verse 10 ó 20 libras (4.5 ó 9 kg) más delgada. Deberá poder meter dos dedos a la pretina. Si a los pantalones y faldas no les sobran 2 pulgadas (5 cm) de tela al nivel de las caderas, entonces le quedan demasiado chicos".

HISTORIA VERDADERA
Su ropa "juvenil" no engaña a nadie

Andrea, una administradora de oficina de 46 años de edad, siempre tenía la sensación molesta de que las demás personas no la tomaban en serio. Una vez incluso se dio cuenta que dos secretarias se estaban burlando de ella. . . pero no sabía por qué. Finalmente, le pidió su opinión sincera a una compañera de trabajo en quien ella confiaba. La respuesta que le dio fue: "Es por cómo te ves, Andrea". Ella se quedó atónita. Andrea se sentía orgullosa de su apariencia. Tenía un amplio guardarropa y siempre escogía estilos juveniles para encajar con los demás empleados de la oficina, quienes en su mayoría eran jóvenes. Sintió ganas de llorar. Pero en vez, se miró a consciencia en el espejo: cabello largo rubio, recogido en una cola de caballo; un suéter pulóver entallado; una falda plisada; tobilleras y zapatos cerrados de tacón alto. Ella sabía que la forma en que se maquillaba los ojos era un tanto exagerada, pero creía que su lápiz labial rosa hacía que sus labios lucieran bonitos y gruesos. Ahora no puede decidir si los que tienen el problema son sus compañeros de trabajo o ella.

Andrea está enviando un mensaje confuso y su interpretación errónea de un *look* juvenil ha saboteado su imagen. Todos sus colegas saben que ella ya no tiene 20 años y no debería tratar de aparentar esa edad. Su meta debe ser lucir linda y profesional.

El maquillaje es parte del problema. Una consultora puede enseñarle a Andrea a escoger y aplicarse colores sutiles y atractivos. En cuanto a su

Alise esas arrugas

Usted se mira fijamente al espejo y por la milésima vez esta semana, usted se ve esa nueva arruga que le salió junto a la boca. Escudriñarnos la cara mientras nos maquillamos es un rito de transición a la madurez por el que todas pasamos. Pero existe un conjunto totalmente diferente de arrugas, que no están en nuestra cara, que nos hacen lucir más viejas y que son visibles a una distancia bastante considerable del espejo.

cabello, debería recogérselo al nivel de la nuca y enredárselo en un chongo.

Su falda plisada podría favorecerla, siempre y cuando le quedara bien. Las tablillas deben colgar rectas, sin abrirse, pero si la falda de Andrea se esponja a la altura de sus caderas, entonces representa un problema.

El suéter entallado y las tobilleras son dos errores crasos. La ropa que revela la figura no es adecuada para llevar a una oficina, no importa la edad y usar tobilleras con falda y zapatos serios nunca se ve bien.

La apariencia general de Andrea, particularmente el suéter, es más "casual social" que "casual de negocios", lo que significa que sólo sería apropiada en aquellos días que se permite usar ropa más casual en las oficinas. Pero aun así, una mejor opción sería un conjunto de dos piezas (pulóver de cuello cerrado y chaqueta del mismo material) combinado con unos pantalones de corte sobrio.

EXPERTA CONSULTADA
Jan Larkey
Consultora en imagen
Pittsburgh

La próxima vez que se vista, busque arrugas diagonales, horizontales y verticales. Estas arrugas nos permiten identificar problemas de ajuste, dice la experta internacional de ajuste y costura de prendas de vestir Sandra Betzina. Ciertas características corporales resaltan o provocan estas arrugas y por supuesto afectan a nuestra apariencia de manera negativa. A continuación identificaremos las más comunes de estas características y le ofreceremos unos trucos sencillos para disimularlos.

Hombros inclinados hacia adelante, encorvados o disparejos. Las arrugas diagonales viajan a través de los hombros y el cuello. Pruebe las hombreras, dice Jan Larkey, una consultora en imagen de Pittsburgh. Coloque el extremo romo de la hombrera un poco más allá de la costura de la manga para ocultar los hombros redondos. Si un hombro está más alto que otro, utilice una hombrera más delgada de ese lado de la prenda. Larkey se empuja las hombreras hacia la espalda para compensar su columna encorvada.

Caderas anchas y altas. Hay pequeñas arrugas horizontales inmediatamente por debajo de la pretina delantera y trasera. Use prendas que cuelguen desde la parte más ancha de la parte inferior de su cuerpo, particularmente si la anchura de sus caderas comienza casi inmediatamente por debajo de su cintura.

Brazos anchos. Hay arrugas diagonales que cruzan por la parte superior del brazo cerca de los hombros y se vuelven más pronunciadas a lo largo del antebrazo. Algunos diseñadores de renombre insertan una cos-

La espalda redondeada jala hacia arriba la línea frontal del cuello

El pecho superior estrecho no llena el frente

Un vientre abultado jala la bastilla delantera hacia arriba

tura vertical a lo largo de la parte superior de la manga. Esta costura se puede sacar para lograr un ajuste mejor.

Trasero caído o plano. Se forman arrugas horizontales "cóncavas" debajo de la entrepierna trasera y la pretina de los pantalones se jala hacia abajo en la parte central trasera. Invierta en ropa interior contorneada que levante el trasero caído o que tenga relleno para mejorar la apariencia de un trasero plano.

Pecho superior estrecho. Las costuras de los hombros se caen de los hombros y hay arrugas horizontales a lo largo de la parte superior del pecho. Es muy difícil corregir este problema de figura con prendas listas para usarse. La mejor solución es contratar a una costurera que le haga la ropa a su medida.

Pancita abultada. Las costuras laterales se jalan hacia adelante, las faldas se levantan en la parte central delantera y el tiro de los pantalones queda apretado. Las pinzas enfatizan su redondez. En vez, elija prendas que cuelguen rectas desde la parte más "llenita" de su vientre. Busque prendas que tengan fajas abdominales ocultas que controlen la panza.

Espalda superior redonda o ancha. La línea del cuello se jala hacia abajo en la parte trasera y hacia arriba en la parte delantera. Si la prenda tiene una costura en la parte central trasera, una costurera se la puede sacar.

Prendas que se ajustan a su cuerpo cambiante

La ropa que antes se nos veía increíble ahora nos hace lucir desgarbadas. ¿Por qué? Nuestro cuerpo cambia conforme envejecemos: el peso cambia de lugar, los hombros se caen, la espalda se encorva, las caderas y muslos se ensanchan. Aunque quizá todavía quepamos en la misma talla de ropa que usábamos hace 10 años, nos damos cuenta que nuestra ropa ahora nos queda demasiado suelta en algunos lugares y demasiado apretada en otros.

Para que la ropa se ajuste y favorezca nuestro nuevo cuerpo, los estilos que usamos deben cambiar a través de los años. Esto no sólo es cuestión de vestirnos según nuestra edad. . . es cuestión de vestirnos según nuestra *figura*.

Betzina ofrece sugerencias para cada grupo de edad en su propia colección de patrones para costura en casa llamada *"Today's Fit by Sandra Betzina"* (El ajuste de hoy por Sandra Betzina). Ella desarrolló esta colección, la cual se basa en un estudio extenso de las figuras y medidas del cuerpo, en coordinación con *Vogue Patterns*.

(continúa en la página 96)

CÓMO SELECCIONAR SU SOSTÉN

"Un busto colgado le agrega 10 libras (4.5 kg) y 10 años a la figura de una mujer", dice la consultora en imagen Nancy Nix-Rice.

Para mejorar su apariencia, busque un sostén que le levante el busto a un nivel más juvenil, es decir, al punto medio entre la base del cuello y la cintura. Busque un sostén que tenga soporte integrado: varillas, tirantes que no se estiran, rellenos que levantan y otros contorneados. También es importante que los tirantes y la banda queden bien ajustados. Los resortes delantero y trasero deben quedar al mismo nivel, sin caerse ni jalarse hacia arriba en ningún lugar.

Cuando lo esté inspeccionando, asegúrese de que el resorte no esté totalmente estirado. Debe poder meter un dedo debajo del resorte. Ahora mírese de frente. Si el busto se le abulta en cada uno de los pliegues delanteros de los brazos (entre la parte que está bajo el brazo y la parte superior del hombro), entonces necesita una copa más grande.

Primero, mida la circunferencia de su torso directamente debajo del busto y luego súmele cinco a esa medida. Esta es su talla de sostén.

Luego, mida la circunferencia alrededor de su busto. La diferencia entre las medidas de su torso y el busto indica su talla de copa.

Diferencia	Talla de copa
½ pulgada (1.25 cm)	AA
1 pulgada (2.5 cm)	A
2 pulgadas (5 cm)	B
3 pulgadas (7.5 cm)	C
4 pulgadas (10 cm)	D
5 pulgadas (12.5 cm)	DD o E
6 pulgadas (15 cm)	DDD o F
7 pulgadas (17.5 cm)	FF o G

De los 24 a los 34 años de edad. Esta es la época para disfrutar su cuerpo juvenil. Si bien puede ser que se le estén abultando un poco sus caderas, vientre y muslos, no hay necesidad alguna de encubrirlos con tela adicional. De hecho, usted puede seguir usando ropa entallada.

Pero esta también es la época de su vida, advierte Betzina, en que tiene que reconocer que su cuerpo está cambiando. Si esto significa tener que comprar ropa de una talla más grande para la parte inferior de su cuerpo, pues entonces hágalo.

De los 34 a los 44 años de edad. Esos días en que podía estar sin sostén ya son cosa del pasado, su cintura se está ensanchando y ya se le empieza a notar la pancita.

Aunque ya no tiene el cuerpo de una jovencita de 20 años de edad, puede seguir usando los mismos estilos que usaba la década pasada al hacerle unas cuantas concesiones a su figura en evolución. Experimente con ropa que sea más holgada en aquellas áreas que no se hayan ensanchado tanto. Una blusa tipo túnica encima de una falda contorneada, como la de la ilustración a la izquierda, le favorecerá la figura y además le deja suficiente espacio para adelgazar sus brazos más anchos y otras áreas problemáticas.

De los 44 a los 54 años de edad. Ahora la medida de su vientre está empezando a rebasar la circunferencia de sus caderas, entonces es de suma importancia que las prendas caigan rectas desde la parta más ancha de su cuerpo inferior que generalmente es la cintura o la parte alta de las caderas.

En pantalones, esto se traduce en el corte clásico de pantalón que usaba Audrey Hepburn.

Usted puede lograr un *look* fabuloso de traje sastre si los pantalones van acompañados de un saco más largo con mangas empotradas (es decir, un saco en el que la costura que junta las mangas con el cuerpo del saco se coloca justo en la bisagra que se forma la parte superior de los brazos y los hombros). Vea la primera ilustracíon en la próxima página.

Dado que pueden haber unas cuantas "lonjas" entre la parte inferior del sostén y la cintura, las prendas que adelgazan el cuerpo son la mejor opción. Las prendas que tienen una costura en la parte central trasera también representan una ventaja porque se pueden sacar para ajustarse a una espalda superior y hombros redondeados.

De los 54 a los 64 años de edad. Sus hombros y espalda se siguen redondeado, la pancita a menudo se vuelve más pronunciada y la cintura se ensancha.

Compre las mejores prendas que pueda costear. En general, la ropa más cara ha sido diseñada para ajustarse mejor al cuerpo y tiene una estructura y forma integradas que esconden las áreas problemáticas. Opte por las mangas empotradas y los cuellos abiertos.

Considere un *look* más relajado, sugiere Betzina, al remangarse o enrollarse las mangas. Evite fajarse las blusas porque esto enfatiza la cintura ancha o la pancita salida.

En vez, considere una blusa larga con pantalones estrechos o un vestido tipo camiseta hecho de una tela que tenga una buena caída sin pegársele al cuerpo.

Si quiere camuflajear ciertas áreas problemáticas, póngase un saco con mangas empotradas como se muestra en la ilustración a la derecha.

La mejor forma de determinar lo que le funciona es experimentando. En nuestra adolescencia, muchas de nosotras pasábamos horas enteras probándonos ropa. Poco después, nuestras ocupaciones diarias ya no nos permitieron seguir haciéndolo, dejándonos poco tiempo

para jugar con la ropa. Es hora de empezar divertirse de nuevo. "No se forme ideas preconcebidas de lo que se le ve bien o mal —dice Betzina—. Pruébese estilos diferentes una vez al año, igual que como hacía cuando era más joven".

ACCESORIOS CON ESTILO

Sean clásicos o modernos, los accesorios que elija pueden definir un conjunto. Una cadena de oro le da un toque de elegancia a un vestido negro clásico. Pero si se quita la cadena y se pone un reloj de muñeca de tamaño extra grande, el resultado instantáneo será un *look* deportivo.

Estos pequeños toques —broches, collares, aretes, cinturones y mascadas— pueden hacer que vestirse sea mucho más divertido. Y una vez que cuente con los accesorios básicos, podrá jugar con las tendencias sin tener que gastar mucho dinero.

Lleve a su guía. Algunas consultoras en imagen aconsejan que vaya de compras sola para que usted desarrolle su propio estilo. Sin embargo, Princess Jenkins, consultora en imagen y dueña de Majestic Images International en la ciudad de Nueva York, sugiere lo contrario. Vaya de compras con amigas y familiares jóvenes. Ellas conocen las tendencias y si usted se pasa de la raya, ellas se lo harán saber.

Piense en pequeño. La consultora en imagen Donna Fujii de San Francisco sugiere tomar prestado un estampado, color o motivo populares que estén usando las jóvenes de veintitantos años de edad y comprarse un cinturón o mascada con el mismo motivo.

Deseche lo viejo. Si usted no ve que las mujeres jóvenes estén usando un tipo particular de joyería, entonces usted tampoco debería usarlo, dice Diana Kilgour, una consultora en imagen de Vancouver, Canadá. Los broches que se ponen en la solapa, por ejemplo, ya no son populares, entonces saque el suyo de su joyero y mejor guárdelo en su caja de recuerdos.

MAQUILLAJE

Deje que saque la cara por usted

Hay un momento en la vida de casi todas las mujeres en que, paradas con los ojos hinchados frente al espejo de su baño, ofrecen una pequeña oración de gracias:

Gracias a Dios que existe el maquillaje.

Usar cosméticos es la forma más simple de instantáneamente minimizar u ocultar las imperfecciones del cutis asociadas con la edad. La base suaviza la apariencia de las arrugas delgadas, abrillanta el cutis y esconde la decoloración. El corrector borra las ojeras debajo de los ojos o los capilares rotos en sus mejillas. El rubor le devuelve el resplandor de la juventud a un cutis que luce cansado, mientras que el lápiz labial le da un toque de color muy bienvenido a la piel pálida o triste. Un toque de polvo asegura que el maquillaje dure más y que los colores se conserven mejor.

Es más, el maquillaje ahora se ha convertido en un producto de alta tecnología. Los productos actuales son más ligeros y traslúcidos. El maquillaje "unitalla" es cosa del pasado y ahora existe una variedad más amplia de cosméticos formulados específicamente para el cutis seco o el de una mujer madura.

Si usted usa poco o nada de maquillaje, quizá tema que empezar ahora le hará pensar a la gente que a usted repentinamente le nació un interés por unirse a un circo. Pero tranquilícese, pues se verá absolutamente maravillosa. Según Laura Geller, maquillista y dueña de Laura Geller Make-Up Studios en la ciudad de Nueva York, es prácticamente imposible meter la pata con el maquillaje si se aprenden las tres reglas doradas:

1. Menos maquillaje es mejor.

2. No le tema al color, sólo úselo sutilmente.

3. Asegúrese de difuminar cuidadosamente su maquillaje, particularmente en las zonas que se muestran en la ilustración a la derecha.

Para dar su mejor cara, pruebe algunas de las sugerencias que nos brindan Geller y otros maquillistas, quienes son expertos en resaltar la juventud en el cutis maduro.

Base: Súmele color, réstele imperfecciones

El cutis maduro necesita color y un encubrimiento sutil. La base correcta le puede dar ambos. Y nadie más que usted sabrá que la está usando.

La formulación más favorecedora: Antes de escoger una base, responda a estas dos preguntas: ¿Qué tanto necesita ocultar? ¿Su piel necesita más o menos humectación?

Las bases que hay en el mercado son de tres tipos dependiendo de la cobertura que brindan: ligera, mediana o completa. En términos generales, el cutis maduro se ve más favorecido con una base de cobertura ligera o mediana, dice Doreen Milek, directora de Studio Makeup Academy, una escuela que capacita a maquillistas profesionales, en Hollywood, California. "Puede que una base ligera no cubra las manchas o las decoloraciones, mientras que las bases de cobertura completa, que se usan para cubrir lunares u otras imperfecciones serias del cutis, pueden aterronarse y apelmazarse".

Las bases también son de dos tipos diferentes en cuanto a su fórmula, pues pueden estar hechas a base de aceite o de agua. Los maquillajes que contienen una base de aceite, como *Maybelline Revitalizing Liquid Make-Up with SPF 10 Sunscreen, Almay Time-Off Age-Smoothing Makeup* o *L'Oréal Visible Lift Line-Minimizing Makeup* son los mejores para el cutis seco o maduro, dice Geller. Las bases de aceite humectan la piel, dándole una apariencia radiante.

Cualquiera que sea la base que elija, opte por alguna que contenga filtro solar, dice Milek. Esto le ayudará a proteger su piel contra los daños del sol.

Colores a prueba de errores: El primer paso es decidir si su cutis tiene tonos más rojos o más amarillos, dice Geller. (Si no los puede distinguir, sostenga una hoja de papel blanco junto a su cara. Esto le ayudará a ver si su cutis tiene tonos rojizos o amarillentos).

Las bases con un tinte amarillento, como el beige dorado o el beige miel favorecen más al cutis rojizo, mientras que las bases con un tinte más rosado como el beige rosado o el beige marfil pueden levantar un cutis pálido o amarillento, dice Geller. La piel muy blanca se ve más favorecida por bases de tinte que se ven más color marfil que amarillo, como el alabastro.

Pruébese el maquillaje en su pecho o cuello en lugar de probárselo en la mano. "La piel de estas áreas se parece más a la piel de su cara", dice Milek.

Aplicación perfecta: Aplíquese un maquillaje hecho a base de aceite usando una esponja para cosméticos húmeda, dice Milek. "Así se puede aplicar una capa más ligera y uniforme". También con la esponja, póngase un poco más de maquillaje en las áreas descoloridas. Para la mayoría de nosotras, estas áreas son las mejillas y los lados de la nariz.

No use demasiada base debajo de los ojos. "Una capa gruesa de base en esta área hará resaltar las patas de gallo y la piel que se ha veteado un poco, como si fuera papel crepé", dice.

Tips **y trucos:** Para obtener la apariencia de un cutis perfecto sin usar una tonelada de base, utilice los dedos para untarse una cantidad pequeña sólo sobre sus mejillas o lados de la nariz, sugiere Geller. Difumínela bien para que no se note dónde empieza y termina el maquillaje.

Consejos "correctores"

Hace unos años, los correctores tenían la consistencia y el color del *Spackle*, el pegamento comercial que se unta en las paredes. Gracias a Dios, esos días ya pasaron. En la actualidad, los correctores son más ligeros y cremosos y vienen casi en el mismo número de tonos que las bases.

La formulación más favorecedora: Opte por un corrector cremoso que venga en un tarro o con un aplicador (por ejemplo, *Almay Extra Moisturizing Undereye Cover Cream* o *Almay Time-Off Age-Smoothing Concealer*). Son más traslúcidos y ligeros que las formulaciones que vienen en presentación de lápiz, por lo que no se verán tan gruesos o aterronados cuando los use. También son más fáciles de difuminar que los correctores de lápiz y no le jalarán la piel delgada y delicada que está debajo de los ojos.

(continúa en la página 104)

CINCO ERRORES ENVEJECEDORES

El maquillaje nos puede ayudar a restarnos años. . . a menos que no nos lo apliquemos correctamente. Entonces, puede *agregarnos* unos cuantos, dice Doreen Milek, directora de Studio Makeup Academy, una escuela que capacita a maquillistas profesionales, en Hollywood, California. Revise la lista a continuación para ver si usted está cometiendo algunos de los errores envejecedores más comunes de maquillaje.

Demasiado maquillaje. Algunas de nosotras tratamos de esconder los años bajo capas y capas de cosméticos, dice Paula Mayer, una maquillista de San Diego, California. "La verdad es que usar demasiado maquillaje nos hace vernos más viejas". Si el rubor se ve más como una irritación causada por el viento que como una ligera capa de color, si usted usa una base muy espesa y se la aplica en cantidades abundantes o si su maquillaje de ojos le recuerda al de Cleopatra, lo más probable es que usted se vea más vieja de lo que puede verse.

No difuminar. Muchas de nosotras nos ponemos la base hasta la línea de la quijada o no difuminamos el rubor con la base. Esta es una técnica que nos hace vernos más viejas, dice Milek. Por lo tanto, difumine bien su base, rubor y sombras para los ojos de modo que no se pueda ver dónde comienzan y dónde terminan.

Cejas a la Frida Kahlo. Aunque admiremos a Kahlo por su talento como pintora, es poco probable que nos quede bien tener las cejas tan oscuras y tupidas como ella. "Utilice una sombra para ojos en polvo sobre las cejas —recomienda Mayer—. Esto les da una apariencia suave y natural que los lápices para cejas no pueden ofrecer". Ella usa una sombra de color gris oscuro en las mujeres de pelo castaño y canoso y una sombra de color café claro en las mujeres rubias y pelirrojas.

Demasiado delineador debajo de los ojos. "Esto hace que los ojos se vean más pequeños", dice Laura Geller, maquillista y dueña de Laura Geller Make-Up Studios en la ciudad de Nueva York.

Aferrarse al pasado. Por nada del mundo nos volveríamos a poner las minifaldas que comprábamos en 1969 o los pantalones de gaucho que tanto nos encantaban en 1977. Pero muchas de nosotras ni siquiera consideramos la posibilidad de maquillarnos de forma diferente a como lo hacíamos en el año en que Santana pegó "Oye cómo va" o cuando John Travolta nos fascinó en *Fiebre del sábado en la noche*.

Para irnos al grano: los estilos de maquillaje cambian y para vernos más juveniles, tenemos que mantenernos a la par del cambio. "No adaptar su maquillaje para reflejar los tiempos equivale a envejecer —dice Milek—. Su rostro ha cambiado y su maquillaje debe reflejar esos cambios".

Aquí le mostramos algunos cambios sutiles y otros no tan sutiles que ha sufrido el maquillaje a través de los años.

Los años 60

Los años 70

Los años 80

Los años 90

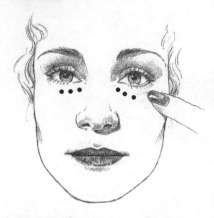

Colores a prueba de errores: Elija un corrector que sea un tono más ligero que el tono de su piel, dice Geller. Para encontrar el corrector perfecto, vaya a una tienda donde le dejen usar muestras de los productos, luego póngase un poco de corrector en la mejilla y sálgase de la tienda (o acérquese a una ventana) con su espejo en la mano para que pueda ver el tono del corrector a plena luz del día. (Aunque esto le suene un poco ridículo, piense que lo bueno es que sólo tendrá que hacerlo una vez).

Aplicación perfecta: Apliquese el corrector *después* de aplicarse la base. "De este modo, si su maquillaje cubre la imperfección, podrá omitir el uso del corrector", dice Geller.

Las ojeras son un problema común para las mujeres de cutis maduro, dice Geller. Para camuflajearlas, usando un pincel pequeño y suave o su dedo, póngase pequeños puntos de corrector debajo de cada ojo desde la esquina interna hasta la mitad. (No se ponga corrector en la esquina externa del ojo porque eventualmente se filtrará a las patas de gallo). Luego mezcle el corrector con la base usando su dedo o un pincel hasta que ya no se note. Quítese el exceso con un pañuelo facial o almohadilla de algodón.

***Tips* y trucos:** Si tiene reseca la piel debajo de los ojos, póngase una crema ligera para ojos antes de aplicarse el corrector, dice Geller. Esto hará que hasta el corrector más traslúcido sea aún más traslúcido.

Rubor: Recupere su cutis radiante

A menudo la piel se vuelve más pálida con la edad. Pero nadie tiene que saberlo. Un rubor correctamente seleccionado y aplicado puede ayudar el cutis maduro a recobrar ese tono rosado de la juventud.

La formulación más favorecedora: Los rubores vienen en formulaciones de crema, polvo y crema-polvo. Las formulaciones de crema, como *Revlon Colorstay Cheekcolor* (que viene con una esponja en lugar de una brocha), o de crema-polvo son los que más favorecen el cutis seco o

maduro. "El rubor en polvo acentúa las líneas y las arrugas", dice Milek. Si quiere un rubor translúcido "que casi no se note", pruebe un gel, como por ejemplo, *Origins Pinch Your Cheeks* (disponible en algunos almacenes/tiendas de departamentos).

Colores a prueba de errores: Los rubores de tonos cálidos que contienen más amarillo que rojo son más indulgentes con el cutis maduro. "Virtualmente cualquier mujer se ve hermosa con rubores de tonos cálidos como el durazno y el rosado", dice Milek.

Si usted tiene el cabello canoso, utilice rubores de color rosado, rosa, ciruela o malva. "Estos tonos son un hermoso complemento para el cabello canoso, independientemente de su tono de piel", dice Geller.

Aplicación perfecta: Si necesita minimizar las líneas y arrugas, aplíquese rubor sólo en la parte carnosa de las mejillas que se produce cuando sonríe, dice Geller. (Para encontrar esta área, sonría lo más que pueda y luego encuentra la parte abultada con sus dedos tal como se demuestra en la ilustración).

Para aplicarse un rubor en crema, usando su dedo o una esponja para cosméticos, póngase un punto del tamaño de una moneda de 10 centavos de dólar sobre cada mejilla, dice Geller. Luego difumine el rubor, quitándose el exceso con un pañuelo facial o una almohadilla de algodón. Para aplicarse rubor en crema-polvo, ponga las cerdas de la brocha sobre el producto, déle golpecitos a la brocha para quitarle el excedente y aplíquese el rubor ligeramente. Difumine el rubor hasta que no se note donde empieza ni donde termina el color.

Tips **y trucos:** Si bien los rubores en polvo son hermosos, muchos contienen un pigmento de color muy intenso que puede hacer que termine viéndose demasiado oscura, dice Milek. Para disminuir la intensidad del color de su rubor en polvo favorito, sumerja su brocha para rubor en un poco de polvo suelto (el talco para bebés funciona perfecto), y luego aplíquele el rubor.

Polvo: Fíjese y olvídese

Aunque quizá usted piense lo contrario, usar polvo *no* resaltará cada una de sus líneas y arrugas, dice Milek. "Si se usa correctamente, el polvo fija el maquillaje y le da una apariencia pulida", dice.

La formulación más favorecedora: Los polvos vienen en dos formulaciones —prensados o sueltos— y ambos se pueden usar en cutis maduro, dice Milek. (En inglés estos polvos se llaman *"pressed powder"* y *"loose powder"*, respectivamente). El polvo prensado viene en un compacto y se aplica con una esponja seca. El polvo suelto viene en un contenedor y se aplica con una brocha grande y esponjosa.

Cualquiera que sea la formulación que elija, compre un producto especialmente hecho para cutis maduro, pues este tipo de productos contienen humectantes adicionales. Dos opciones que puede probar son *Revlon Age-Defying Pressed Loose Powder* y *Maybelline Moisture Whip Loose Powder*.

Colores a prueba de errores: Seleccione un polvo que sea tres tonos más claro que su base de maquillaje, dice Milek. Si usted no usa base, empólvese la cara con un polvo translúcido suelto o prensado que tenga un ligero tinte para esconder las imperfecciones y darle una apariencia más pulida a su cutis, sugiere Geller.

Aplicación perfecta: Para aplicarse polvo prensado, utilice la esponjita que viene con su compacto para aplicarse el polvo dándose pequeños "golpecitos" sobre su maquillaje, dice Milek.

El polvo suelto debe aplicárselo usando una brocha para maquillaje grande y esponjada y luego pasándose la brocha ya sin polvo para quitarse el excedente. Una vez por semana, limpie su brocha para polvo con agua tibia y jabón. Una brocha limpia se deslizará con mayor facilidad sobre su cutis en comparación con una que ya ha recogido la grasa de su piel, dice Milek.

Antes de que se retoque el maquillaje, difumine la base que se le haya metido a las líneas que tiene alrededor de los ojos y la boca con una esponja seca o un pañuelo facial, aconseja Milek. "Si no lo hace, el polvo hará que el maquillaje se fije en los pliegues", dice.

Tips **y trucos:** Para ocasiones especiales, póngase un polvo ligeramente aperlado sobre los pómulos, sugiere Geller. "Hará que su cutis luzca aún más radiante".

Maquillaje para ojos: Sombras que iluminarán su rostro

Una pequeña cantidad de delineador alrededor de los ojos y una o dos capas de rímel pueden hacer que sus ojos parezcan más grandes y brillantes. Y si tiene los párpados un poco caídos, la aplicación sutil de la sombra correcta puede hacer que se salgan de su escondite.

La formulación más favorecedora: La piel que tenemos alrededor de los ojos se vuelve más delgada y seca con la edad. Las sombras hechas a base de crema y los lápices delineadores nutren esta piel delicada al mismo tiempo que camuflajean las arrugas.

Sombra para ojos. Las sombras para ojos vienen en dos formulaciones básicas. Las sombras en crema (como *Revlon Age-Defying Eye Color*) generalmente se aplican con un aplicador especial. Las sombras en polvo vienen en pastillas y se aplican con un aplicador de punta de esponja o con un pincel. Si usted tiene la piel muy seca, opte por las sombras en crema, dice Geller. "Son fáciles de aplicar y duran mucho puestas", agrega. Y al igual que los rubores en crema, las sombras en crema suavizan la apariencia de las arrugas.

Asimismo, seleccione una sombra que tenga un poco de brillo, lo que se conoce como *low pearl shadow* (sombra aperlada). Parece mentira, pero sí le puede ser útil. "La mayoría de las mujeres piensan que las sombras aperladas acentuarán las arrugas alrededor de los ojos —dice Geller—. En realidad, las sombras ligeramente aperladas pueden suavizarlas". Sin embargo, evite las sombras aperladas del tipo que usan las bailarinas que salen en los espectáculos de Las Vegas. Las sombras demasiado brillantes y deslumbrantes resaltan cada caída y arruga.

Delineador. Opte por los lápices delineadores, recomienda Geller. Puede usar lápices delineadores hechos a base de cera, pero los más suaves se pueden correr, mientras que los extra duros le jalarán la delicada piel que tiene debajo de los ojos. Por lo tanto, ella recomienda usar lápices delineadores de polvo (como *Elizabeth Arden Smoky Eyes Powder Pencil* o *Revlon Softsmoke Powderliner*). "Estos delineadores hacen que los ojos se vean ahumados y suaves y son fáciles de aplicar", dice ella.

Lo que *no* debe usar: delineadores líquidos. "Si ya de por sí tiene líneas en su cara, no necesita pintarse más", dice Milek.

Rímel. Elija un rímel libre de fibras ("*fiber-free*"). La mayoría de los rímeles son libres de fibras, pero si no, en el empaque dirá "*with fibers*" (con fibras)", dice Geller. Los rímeles que contienen fibras tienden a apelmazarse, formar bolas y a verse muy espesos, lo cual hace que resalten más las imperfecciones de sus ojos.

Colores a prueba de errores: ¿Tiene miedo de que usará el color equivocado de sombra o lápiz y que terminará luciendo como su excéntrica tía Clotilde? Esto no pasará si usa matices poco intensos que favorezcan su color de cabello y tono de piel.

Sombra para ojos. Las mujeres que tenemos el cabello oscuro y la piel de tono mediano a oscuro podemos usar prácticamente cualquier color de sombra. "Las mujeres de cabello castaño se ven particularmente bien con sombras de color bronce o champaña, el cual es un rosa muy pálido", dice Geller. Las rubias con piel rosada se ven mejor con sombras color gris oscuro con un ligero tinte pardo, beige y café carbón, mientras que a las rubias con un tono más amarillo de piel les favorecen las sombras color violeta, azul pizarra y café grisáceo. Si usted tiene el cabello canoso, siempre se verá bien con sombras de color gris claro y gris oscuro con un ligero tinte pardo, dice.

Delineador. Los tonos más oscuros de azul marino y verde cazador favorecen cualquier tono de piel y hacen que el blanco de los ojos parezca más brillante, dice Geller. Para un efecto más sutil, utilice tonos café o caqui (un café verdoso suave). Si está usando delineador negro, tírelo a la basura de inmediato: "El negro es demasiado duro para el cutis maduro", dice.

Rímel. Debe ser de color negro para las mujeres de pelo castaño y de color café para las rubias y las pelirrojas, dice Geller. Para darle un poco más de brillo a sus ojos, pruebe el rímel azul marino. "Este rímel agrega un poquito de color y le dará más luz a sus ojos", dice.

Aplicación perfecta: Aplicarse sombras, delineador y rímel de la forma que más la favorezca puede ser una tarea difícil, pero las sugerencias que aquí le damos le facilitarán mucho el trabajo.

Sombras para ojos. Para aplicarse una sombra en crema, úntesela con el dedo meñique limpio, dice Milek. "Es más fácil controlar su dedo que un aplicador y el color será más suave y sutil", dice.

Póngase la sombra en polvo usando un pequeño pincel para ojos. "El pincel distribuye el color de forma más fina y uniforme que un aplicador con esponja", dice Geller. Aplíquese sombra dibujando un arco en

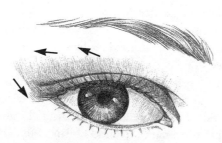

forma de V desde la esquina externa del ojo, alargando un lado de la V para que la sombra cubra cualquier área caída sobre el párpado y difuminando el otro lado de la V hacia sus pestañas.

Delineador. Si tiene el pulso tembloroso, aplíquese maquillaje sentada en una mesa, usando un espejo colocado al nivel de sus ojos, sugiere Geller. Descanse sobre la mesa el codo de la mano que use para detener el lápiz delineador. Luego detenga el codo con la otra mano.

Rímel. Para que no se aplique bolas de rímel en las pestañas, limpie el aplicador antes de ponerse el rímel, dice Milek. Para engrosar las pestañas escasas, póngales un poco de polvo antes de aplicarse la primera capa de rímel.

Tips **y trucos:** Rizarse las pestañas hará que parezcan más gruesas y hará que los ojos se le vean más grandes y brillantes, dice Milek.

Entonces desempolve su rizador metálico de pestañas —el mismo que juró que jamás usaría de nuevo— y sosténgalo debajo de su secadora de pelo durante 5 a 10 segundos antes de usarlo. El calor ayudará a que sus pestañas se mantengan rizadas, dice Geller. (Por favor, emplee su sentido común: toque el metal con la mano antes de llevárselo al área de los ojos).

Lápiz labial: La esencia del buen maquillaje

"Todas las mujeres deben usar lápiz labial, independientemente de su edad —dice Geller—. Pero si usted tiene un cutis maduro, el lápiz labial correcto puede darle luz a toda la cara, haciendo que su cutis tenga una apariencia más juvenil".

La formulación más favorecedora: Los labios se resecan con la edad. Para que sus labios se mantengan húmedos y flexibles, opte por los lápices labiales cremosos, los cuales contienen humectantes adicionales (como *Revlon Moon Drops Moisture Creme* y *Lancôme Hydra-Riche Hydrating Lip Colour*), aconseja Geller. Otra ventaja de las formulaciones cremosas es que suavizan la apariencia del cutis maduro y hacen que no resalten tanto las líneas y las arrugas, dice.

Si usted prefiere una apariencia más natural, pruebe el brillo para labios. "Estos le ofrecen sólo un poco de color y un brillo ligero", dice Milek.

Colores a prueba de errores: Si usted es rubia de piel muy clara, opte por los tonos suaves de color malva (rosa cálido), dice Paula Mayer, una maquillista de San Diego. Las rubias de piel más oscura lucen fantásticas con colores cafés cálidos, como el color arena y con los colores rojos que tienen una base anaranjada. Las mujeres de pelo castaño y piel trigueña se ven mejor en tonos de color durazno, naranja–rojo, vino y vino tinto. Las mujeres de pelo castaño y piel clara deben optar por los tonos brillantes de color rosa mexicano (fucsia) o

CÓMO TENER LOS LABIOS QUE SIEMPRE HA DESEADO

Conforme pasan los años, la piel y los labios van perdiendo su pigmentación. Algunas mujeres también notan que su labio superior se hace más delgado.

Para contrarrestar los efectos del tiempo y tener labios más llenitos, opte por los lápices labiales de colores claros a medianos y un delineador labial del mismo color. Tenga en mente que los colores más claros tienden a hacer que los labios luzcan más grandes y gruesos, mientras que los colores oscuros hacen que parezcan más pequeños. Lo mismo aplica en el caso del delineador labial, dice Pat Ely, una maquillista de Walnut Creek, California. "A muchas mujeres les gusta usar un delineador oscuro para delinearse el contorno de los labios, pensando que esto hará que resalten sus labios, pero los colores oscuros sólo hacen que los labios se vean más pequeños".

En vez, use un delineador del mismo color de su lápiz labial, agregando un poco de brillo al labio inferior para que parezcan más gruesos. Dibuje el contorno de sus labios con el delineador labial y rellene sus labios con un lápiz labial del mismo color. Si no le agrada la forma natural de su boca, dice Ely, aplíquese el delineador labial ligeramente afuera de la línea natural de sus labios.

Para que su labio inferior parezca más grueso, utilice un lápiz labial aperlado o brilloso de un tono ligeramente más claro en el centro de su labio inferior.

tonos rosas más suaves. Las pelirrojas con pecas se ven mejor en tonos de color canela y terracota.

Los tonos de color malva, albaricoque (damasco, chabacano) y cobre "enfriarán" la piel rosada o desviarán la atención de los capilares rotos, agrega Milek.

Todas podemos usar lo que se conoce como un lápiz labial color rojo verdadero, el cual contiene cantidades iguales de amarillo y azul. "El lápiz labial color rojo verdadero produce un efecto particularmente deslumbrante en las mujeres de cabello canoso", dice Milek. Otro color a prueba de errores, según Milek: *Sally Hansen Natural Mist Cream*. "No es café, no es durazno, no es rosa, sino una combinación de los tres. Y se les ve bien a todas las mujeres", dice.

Cualquiera que sea el color que elija, opte por los tonos suaves. "Los labios se adelgazan con la edad —dice Geller—. Los colores muy oscuros hacen que se vean aún más delgados".

Aplicación perfecta: La mayoría de nosotras nos ponemos el lápiz labial directamente del tubo. Eso está muy bien, dice Geller. Pero si su lápiz labial se le mete a los pequeños pliegues que tiene sobre los labios, pídale ayuda a un delineador labial, aconseja. "La cera que contiene el delineador labial sirve de barrera, evitando que el lápiz labial se le corra o se le filtre hacia las líneas delgadas que tiene en la piel que rodea a los labios", dice. Para obtener un efecto suave y natural, utilice un delineador labial neutro.

***Tips* y trucos:** Para que los labios delgados parezcan más gruesos, utilice un color ligeramente aperlado. "Los lápices labiales ligeramente aperlados reflejan la luz, lo cual hace que los labios parezcan más gruesos", dice Geller.

Para que el lápiz labial no termine en sus dientes, haga lo que hacen las modelos: después de aplicarse el lápiz labial, póngase el dedo índice en la boca. Luego sáquelo lentamente, con la boca cerrada. "El lápiz labial que se quede en su dedo es el que se le hubiera quedado en los dientes", dice Geller. O también puede ponerse un poco de vaselina en los dientes frontales superiores para que el lápiz labial no se le quede allí, agrega.

Nutrientes para el cutis

Frasquitos fenomenales de juventud

Seamos honestas: los llamados productos antienvejecimiento que prometen darnos un cutis más terso y juvenil nos tienen hechizadas. Pero, ¿realmente funcionan estas lociones y pociones que vienen en empaques tan tentadores y que a menudo se venden a precios estratosféricos?

Eso depende de cómo defina usted la palabra *funcionar*.

Algunos productos antienvejecimiento que se venden sin receta contienen componentes específicos que pueden hacer que la piel se vea mejor temporalmente, dice la Dra. Debra Price, profesora de Dermatología de la Universidad de Miami en Florida. El primer componente es el ácido glicólico (*glycolic acid*), que es un miembro de los ácidos frutales llamados alfa-hidroxiácidos (*alpha-hydroxy acids* o *AHA* por sus siglas en inglés). El segundo componente es un tipo especial de vitamina C que se llama el ácido L-ascórbico (*L-asorbic acid*), que se aplica de manera tópica al cutis.

Si su cutis luce opaco y ha perdido el brillo, un producto con ácido glicólico que se venda sin receta puede hacerlo lucir más terso y fresco, dice la Dra. Price. Y cuando se combina con un filtro solar, la vitamina C le brinda a la piel una protección adicional contra los daños del sol, que son la causa principal de las arrugas, la piel áspera, las manchas de la edad y la decoloración.

Pero la concentración débil de los productos que se venden sin receta no pueden —repetimos, *no pueden*— alterar permanentemente la piel. De tal forma, si bien pueden exfoliar y suavizar el cutis, no borrarán las arrugas. "Si pudieran, se clasificarían como fármacos y no estarían disponibles en el mostrador de cosméticos", dice la Dra. Price.

Existe una sustancia que mediante estudios de investigación se ha comprobado que *puede* alterar permanentemente la estructura de la piel: la tretinoína, que es un derivado de la vitamina A y el componente activo de *Retin-A* y *Renova*. Estos productos sí son fármacos y sólo puede comprarlos con receta médica. Pero son la opción a elegir si usted quiere disminuir las arrugas y pliegues finos, la aspereza o los cambios en la pigmentación tales como las manchas de la edad, dice la Dra. Nia Terezakis, profesora de Dermatología de la Universidad de Tulane en Nueva Orleáns.

No obstante, ya sabemos lo irresistibles que pueden ser esos frasquitos, tarritos e incluso las vendedoras de cosméticos entusiastas. Esta guía de los productos antienvejecimiento para el cutis más populares le dirá cómo funcionan, cómo usarlos, lo que pueden (y no pueden) hacer y si los puede comprar sin receta o sólo a través de un dermatólogo o salón para el cuidado de la piel.

Sáquese brillo con ácido glicólico

El ácido glicólico, que es un derivado de la caña de azúcar, es el AHA más común que contienen los productos antienvejecimiento que se venden sin receta. También es el más eficaz, dice la Dra. Sheryl Clark, una dermatóloga de la ciudad de Nueva York.

Los estudios de investigación han mostrado que las sustancias químicas que contiene el ácido glicólico desprenden o exfolian las células muertas que se acumulan en la capa superior de la piel. "Al quitar estas células muertas, la piel se ve más tersa y radiante", dice la Dra. Francesca J. Fusco, una dermatóloga de la ciudad de Nueva York.

Los productos más comunes que contienen ácido glicólico que se venden en las farmacias cuestan alrededor de $10 dólares. Pero tendrá que pagar $20 dólares o más —a veces mucho más— por los productos con ácido glicólico más elegantes que ofrecen las principales empresas de cosméticos.

Los productos que se venden en la tienda. La mayoría de los productos con ácido glicólico que se venden sin receta contienen menos de un 10 por ciento de ácido glicólico. Estas concentraciones tan bajas no producirán efecto alguno sobre las líneas y las arrugas, dicen los expertos. Pero a algunas mujeres que usan estos productos les agrada la forma en que hacen que su cutis luzca más terso y fresco.

Los estudios de investigación sugieren que a concentraciones de 10 por ciento o mayores, el ácido glicólico puede estimular la formación de colágeno, que es el tejido conectivo que se encuentra en la segunda capa de la piel (la dermis) y que le da a la piel su llenura y fortaleza juveniles. Unos cuantos productos que se venden sin receta, como las líneas *Alpha-Hydrox* y *Aqua Glycolic*, sí contienen un 10 por ciento de ácido glicólico.

Los productos con ácido glicólico son fáciles de usar. Una vez al día, simplemente aplíquese dos a tres gotas del tamaño de un chícharo (guisante, arveja) sobre la piel limpia y seca de la cara y el cuello, dice la Dra. Clark.

Los productos que se venden en el consultorio del dermatólogo. Si usted

¿CUÁLES SON MEJORES: LOS ALFA O LOS BETA?

Si le arde la piel y siente como si se le estuviera quemando cuando usa productos que contienen ácido glicólico, el cual es un alfa-hidroxiácido (*AHA* por sus siglas en inglés), pruebe un producto más suave para combatir las arrugas: el ácido salicílico, también conocido como beta-hidroxiácido (*BHA* por sus siglas en inglés).

El ácido salicílico (*salicylic acid*), que se encuentra naturalmente en la corteza del sauce y el abedul, funciona a concentraciones mucho más bajas que el ácido glicólico, dice el Dr. Albert M. Kligman, profesor de Dermatología de la Universidad de Pensilvania en Filadelfia, Pensilvania. Esto significa que causa menos enrojecimiento, ardor y quemazón.

En un estudio de investigación donde se incluyeron a cientos de mujeres, aquellas que usaron ácido salicílico en el rostro reportaron mucho menos irritación que las que usaron ácido glicólico.

Aparentemente, también se les veía mejor el cutis. Un panel de 30 jueces que miraron fotografías de antes y después concluyó que el grupo que uso ácido salicílico mostró una mayor mejoría en su cutis que el grupo que uso ácido glicólico. Los jueces examinaron específicamente las arrugas finas, las manchas y la pigmentación anormal de la piel.

Aquellas mujeres que aparte de combatir las arrugas tienen que lidiar con el acné, quizá también quieran usar ácido salicílico, dice el Dr. Kligman. Al igual que el ácido glicólico, el ácido salicílico desprende o exfolia la capa superior de la piel. También penetra hacia el interior de los poros, liberando la mugre y la grasa atrapadas que conducen al acné. Es por este motivo que el ácido salicílico es uno de los principios activos que contienen muchos medicamentos antiacné que se venden sin receta.

Usted puede encontrar productos antienvejecimiento formulados con BHA en la farmacia de su localidad. Tres ejemplos de dichos productos son *Oil of Olay Daily Renewal Cream with Beta Hydroxy Complex*, *Almay Time-Off Revitalizer Daily Solution* y *Aveda Exfoliant*.

ya tiene unas cuantas líneas finas, considere consultar a un dermatólogo, quien le podrá ofrecer una variedad de productos que pueden contener hasta un 25 por ciento de ácido glicólico. "Obviamente, es más probable que las concentraciones más altas de ácido glicólico —de 12 por ciento o más— beneficien el cutis maduro", dice la Dra. Price. Uno de estos productos le costará de $10 a $60 dólares, dependiendo de la marca y de cuánto ácido glicólico contiene.

La ventaja de ir con un dermatólogo es que él puede examinar su cutis y recomendarle la concentración de ácido glicólico que más le convenga a usted. Si usted tiene el cutis seco o sensible, quizá le recomiende un producto formulado con un 8 por ciento de ácido glicólico, dice la Dra. Clark. Luego, al cabo de más o menos un mes, después de que su cutis se haya adaptado, quizá le recete un producto que contenga un porcentaje más alto del compuesto.

La piel grasosa puede tolerar concentraciones más altas de ácido glicólico, dice ella. Entonces puede que un dermatólogo le recomiende desde el principio un gel o crema sin grasa que contenga de un 10 a 20 por ciento de ácido glicólico.

Los productos de ácido glicólico que le recete el doctor se usan de la misma forma que los que se venden sin receta, dice la Dra. Clark. Es probable que note la diferencia en el tono de su piel al cabo de 2 semanas después de la primera aplicación.

Si usted está usando estos productos con el fin de que minimicen sus arrugas delgadas, tendrá que esperar al menos tres meses para ver resultados, dice el Dr. Nicholas V. Perricone, profesor de Dermatología de la Universidad Yale en New Haven, Connecticut.

Ácido glicólico: Una guía para usuarias

Para que su piel aproveche al máximo los beneficios de un producto con ácido glicólico, debe usarlo correctamente, dice la Dra. Clark. Aquí le decimos cómo escoger y usar estos productos, ya sea que los compre en la farmacia de la esquina o a través de un dermatólogo.

Primero haga la prueba. Pruebe un producto que se venda sin receta antes de consultar a un dermatólogo, sugiere la Dra. Price. Quizá descubra que usar un producto con un porcentaje bajo de ácido glicólico le dará los resultados que está buscando.

Compre la formulación correcta para su piel. Los productos con ácido glicólico que se venden tanto sin receta como a través de su der-

PREGUNTAS Y RESPUESTAS
¿Por qué cuestan tanto dinero las cremas antienvejecimiento?

No existe una buena razón por la cual una mujer que quiera comprar un buen producto para el cuidado del cutis tenga que pedir un préstamo personal al banco para hacerlo. Ningún producto sobre la faz de esta tierra amerita que una tenga que pagar $70 o $100 o bien, en algunos casos, hasta $300 dólares.

Aun así, las compañías de cosméticos tienen sus razones para aumentar enormemente los precios de estas formulaciones antienvejecimiento. En primer lugar, tienen que pagar grandes cantidades de dinero para empaquetar y anunciar estos productos. Una caja elegante y un hermoso frasco de vidrio a menudo cuestan más que el producto que contienen. En segundo lugar, las mujeres están dispuestas a pagar mucho dinero para verse más jóvenes, y los fabricantes gustosamente les satisfacen ese deseo.

Por desgracia, muchas mujeres creen que entre más caro sea un producto, mejor será su calidad. Pero en realidad muchos de los productos que cuestan $10 dólares son tan buenos como los más caros y es poco probable que cualquier formulación que cueste más de $25 dólares valga tener que gastar tanto dinero.

matólogo vienen en forma de crema, gel o líquidos (que a veces se llaman sueros o *serums*). En términos generales, las personas con piel seca prefieren las formulaciones en crema, mientras que aquellas con piel más gruesa y más grasosa prefieren el gel o el suero, dice el Dr. Perricone.

Pruébeselo antes de ponérselo. Los productos con ácido glicólico sí presentan algunas desventajas: pueden causar ardor, comezón o, en casos raros, sarpullidos en la piel. Entonces pruebe la sensibilidad de su piel antes de usar ácido glicólico por primera vez, dice la Dra. Clark. Póngase una cantidad pequeña del producto en la parte interna del codo todos los días durante una semana. Si durante este período la piel no se le enrojece ni se le irrita, lo más probable es que el ácido glicólico no le irritará demasiado la piel del rostro, dice. Si la piel se le irrita, la Dra.

Dicho lo anterior, algunos *componentes* de los productos que se venden sin receta pueden, en teoría, ayudar a mejorar la apariencia del cutis maduro. Estos componentes incluyen los antioxidantes, como las vitaminas C y E, que combaten los daños causados por los radicales libres, y otras sustancias como el ácido hialurónico (*hyaluronic acid*) y los mucopolisacáridos (*mucopolysaccarides*), que ayudan a mantener humectada la piel. Los productos que contienen alfa-hidroxiácidos (*alpha-hydroxy acids* o *AHA* por sus siglas en inglés) pueden ayudar al exfoliar la piel.

Pero incluso en el caso dado de que estos productos sí funcionaran —y no existen pruebas contundentes que demuestren que eliminan las arrugas— siguen sin poder lograr milagros. Si usted está buscando un producto "milagroso" para el cutis, entonces cómprese una botella de filtro solar.

EXPERTA CONSULTADA
Paula Begoun
Maquilladora profesional y dueña de una pequeña cadena de tiendas de cosméticos

Clark sugiere que trate de usar el producto sólo cada tercer o cuarto día. Si eso tampoco le funciona, pruebe un producto menos concentrado.

Aplíqueselo en la noche. El ácido glicólico tarda al menos 15 minutos en penetrar la piel después de ser aplicado. Entonces si sólo tiene unos cuantos minutos para su rutina mañanera de cuidado de la piel, póngase el producto antes de irse a la cama, sugiere la Dra. Clark. Aplicarse un humectante o maquillaje inmediatamente después de ponerse el producto con ácido glicólico puede disminuir su eficacia, dice. Asegúrese de evitar ponerse productos con ácido glicólico sobre o alrededor de los ojos.

Utilice un filtro solar. El uso de productos con ácido glicólico puede hacer que la piel sea más sensible al sol que antes. Entonces aplíquese sin falla un filtro solar que tenga un factor de protección solar

(*SPF* por sus siglas en inglés) de cuando menos 15 antes de salir de su casa, dice la Dra. Fusco. O utilice uno de los muchos humectantes o bases de maquillaje que contienen un filtro solar con SPF de 15.

Suspéndalo si la lastima. Deje de usar el ácido glicólico *de inmediato* si su piel se enrojece mucho, se irrita o se inflama, dice la Dra. Clark. Aunque tales reacciones severas ocurren sólo en casos muy raros, sí ocurren, especialmente en mujeres que tienen la piel sensible.

Acuda a la "A": Retin-A y Renova

Cuando el medicamento para el acné *Retin-A* se lanzó al mercado en 1969, las mujeres con casos severos de acné echaron porras. Pero en 1988,

DE MUJER A MUJER
Ella quería revitalizar su cutis

Poco después de que cumplió 40 años de edad, Diane McCurdy, una cosmetóloga con licencia de Filadelfia, recibió un "regalo" no bienvenido: sus primeras líneas y arrugas finas. Pero ella no se puso triste. En vez, comenzó a aplicarse una gota del tamaño de un chícharo (guisante, arveja) de una de las nuevas cremas "rejuvenecedoras" sobre la piel clara y con pecas de su rostro y cuello. ¿Le funcionó? Así es como ella lo cuenta.

Yo tenía 41 años de edad cuando noté que mi cutis estaba, bueno, envejeciendo. Yo heredé la piel irlandesa —clara, con pecas y muy seca— de mi padre. Mi cutis lucía opaco, se sentía reseco y ya empezaban a notarse las primeras arrugas.

Yo había escuchado que *Renova*, una crema que se vende con receta para eliminar las arrugas delgadas y las manchas de la edad, era realmente útil. Yo trabajo para un dermatólogo y le pregunté si esta crema me funcionaría. Él me revisó el cutis y me recetó *Renova*.

He usado esta crema espesa y virtualmente libre de fragancias durante dos años y no podría estar más contenta. Mi cutis luce más radiante y rosado. Su textura es mucho más tersa y las arrugas delgadas alrededor de los ojos y las líneas verticales sobre los labios se me notan menos.

cuando en un estudio de investigación se mostró que también podía atacar las arrugas, las mujeres de todas partes salieron en estampida hacia el consultorio del dermatólogo más cercano.

Como mencionamos, el componente activo del *Retin-A* (y su retoño, el *Renova*) es la tretinoína. Aunque los dermatólogos siguen recetando *Retin-A* para tratar el acné, también lo recetan rutinariamente para la piel que está envejeciendo. El *Renova* se ha formulado específicamente para el tratamiento del cutis maduro.

Al igual que el ácido glicólico, *Retin-A* y *Renova* aflojan y desprenden las células muertas que están en la capa superior de la piel, haciéndola lucir más tersa. Pero los estudios de investigación también han

---

El cambio en mi cutis hasta ha hecho que el maquillaje me luzca mejor. Si usted tiene cualquier arruga en la cara, ya sabe cómo la base y el polvo se pueden incrustar en ellas. *Renova* hace que se desprendan las células muertas de la capa superior de la piel y por tanto el maquillaje se ve más uniforme.

Verme más joven por fuera me ha ayudado a mejorar cómo me siento por dentro; a que tenga una mayor autoestima. Siento más seguridad en mí misma. Me siento bien conmigo misma.

Renova definitivamente ha ayudado a que mi cutis tenga una apariencia más juvenil. Pero también le debo mucho a mi costumbre de usar filtro solar. Usar filtro solar es absolutamente indispensable. Todos los días uso un filtro solar con un factor de protección solar (*SPF* por sus siglas en inglés) de 20 que contiene óxido de zinc (*zinc oxide*) o dióxido de titanio (*titanium dioxide*), porque este tipo de productos ofrece una gama mucho más amplia de protección contra los rayos ultravioleta A y B.

Muchas de mis amistades y conocidos han notado la mejoría en mi cutis. ¿La reacción de mi esposo? Él fue con el médico para que también le recetara *Renova*. Él también tiene piel irlandesa.

mostrado que la tretinoína aumenta los niveles de colágeno en la piel, aclara las pecas y las manchas de la edad que salen a causa de los efectos del sol y mejora la decoloración de la piel.

Los productos que se venden en la tienda. Dado que *Retin-A* y *Renova* son fármacos, no los encontrará en el mostrador de cosméticos. Sin embargo, lo que *sí* encontrará son productos antienvejecimiento que contienen retinol, otro derivado de la vitamina A, dice la Dra. Terezakis.

Si bien el retinol suena parecido al *Retin-A*, no hay pruebas fehacientes que demuestren que también *funciona* de formar similar al *Retin-A*. Sin embargo, por sus características antioxidantes, el retinol puede ofrecerle a la piel algo de protección contra los radicales libres, que son moléculas inestables de oxígeno que se generan por la acción de la luz solar, el humo y la contaminación y que pueden hacer que la piel envejezca prematuramente, explica la Dra. Clark.

Los productos que se venden en el consultorio del dermatólogo. *Retin-A* viene en formulaciones de crema, gel o líquido y en diversas concentraciones de tretinoína. Para eliminar las arrugas, la mayoría de los dermatólogos recetan la crema. *Renova* contiene un 0.05 por ciento de tretinoína en una base de crema.

El que el dermatólogo le recete *Retin-A* o *Renova* dependerá de su tipo de piel. "Las personas con piel grasosa tienden a usar *Retin-A*, mientras que aquellas con piel seca o sensible prefieren usar *Renova* porque tiene la consistencia de una crema de noche muy espesa", dice la Dra. Clark.

Es sencillo usar cualquiera de las dos. La Dra. Clark recomienda aplicar dos gotas del tamaño de un chícharo —suficiente para cubrir todo el rostro y el cuello— sobre la piel limpia y seca, ya sea cada noche o cada tercer noche antes de irse a la cama. Póngase un punto del medicamento sobre cada mejilla, la frente y la barbilla. Luego, unte el medicamento sobre toda la cara, evitando ponérselo en los párpados superiores. Una dotación para dos meses de cualquiera de ambos medicamentos cuesta alrededor de $30 dólares.

Muchas personas que usan *Retin-A* o *Renova* notan que su cutis se siente más terso después de un mes de tratamiento, dice la Dra. Debra Jaliman, una dermatóloga de la ciudad de Nueva York. Los estudios de investigación han mostrado que la mejora más significativa ocurre a lo largo de 4 a 10 meses. Entre más dañada esté su piel, mayor será la mejoría que probablemente observará.

Usar *Retin-A* o *Renova* sí tiene sus desventajas. Ambos medicamentos, particularmente el *Retin-A*, pueden hacer que la piel se le hinche, le arda, le dé comezón o se le despelleje. Estos efectos secundarios normalmente desaparecen al cabo de unas cuantas semanas, a medida que la piel se va a acostumbrado al medicamento. Pero si la irritación persiste, puede que su dermatólogo le aconseje que se aplique el medicamento con menor frecuencia, o en el caso del *Retin-A*, puede que le recete una dosis más baja, dice el Dr. Perricone.

Cómo usar *Retin-A* y *Renova*

Retin-A y *Renova* son *fármacos*. Entonces no se los aplique más de lo que le indique el médico y no los use con mayor frecuencia de la recomendada por su dermatólogo. Asimismo, no use *Retin-A* o *Renova* si está embarazada. Para aprovechar al máximo sus poderes antienvejecedores, siga los *tips* que le damos a continuación.

Empiece ahora. *Retin-A* y *Renova* parecen ser más eficaces para prevenir que para borrar las arrugas. Entonces empiece a usar su receta de *Retin-A* o *Renova* antes de que detecte su primera arruga, aconseja la Dra. Fusco. "Si usted tiene 35 ó 40 años de edad y nunca ha usado un filtro solar o le encanta asolearse y chamuscarse la piel, no espere a que los daños empiecen a ser evidentes", dice.

Úntese con filtro solar. Cada día usted debe aplicarse un filtro solar con un SPF de cuando menos 15 o use un humectante o base de maquillaje con un SPF de 15, dice la Dra. Fusco. Debido a que el *Retin-A* y el *Renova* le devuelven su llenura juvenil al cutis, la piel más nueva y fresca que está debajo es más vulnerable al daño causado por los rayos ultravioleta del Sol.

Alivie correctamente la irritación. Para disminuir el enrojecimiento temporal, las escamas y la irritación, utilice un humectante hipoalergénico (*hypoallergenic*) que no contenga fragancias ni conservantes, como *Eucerin* o *Complex 15*, sugiere la Dra. Clark. O cada tercer día póngase un poco de crema con hidrocortisona que se venda sin receta.

Además, considere tomar 800 unidades internacionales (UI) de vitamina E al día. Algunos estudios de investigación preliminares sugieren que la vitamina E puede reducir los efectos irritantes del *Retin-A* y el *Renova*, dice la Dra. Clark. Pero asegúrese de hablar con su doctor antes de tomar cantidades de más de 200 UI de vitamina E.

Cuídese bien el cutis. Mientras esté usando *Retin-A* o *Renova*, evite usar astringentes o lociones tonificantes que tengan un alto contenido de alcohol, así como productos de limpieza granulares y mascarillas faciales de barro. También manténgase alejada de los saunas y los cuartos de vapor. Dado que la humedad y el calor aumentan el flujo de sangre, también incrementan la penetración de los medicamentos, lo cual puede causar enrojecimiento del cutis. Todo esto puede irritar aún más el cutis, dice la Dra. Clark.

Duplique los beneficios. Pregúntele a su dermatólogo sobre la posibilidad de combinar *Retin-A* o *Renova* con ácido glicólico, sugiere la Dra. Clark. "Cuando se usan juntos, ambos parecen ser más eficaces", dice. En general, se deberá aplicar el ácido glicólico en la mañana y el *Retin-A* o *Renova* antes de irse a acostar.

Vitamina C: ¿Maravilla o mentira?

Según la Dra. Clark, la vitamina C tópica es el último grito en productos antienvejecimiento para la piel. Pequeñas ampolletas de "*serum*" (suero) de vitamina C se venden en los mostradores de cosméticos a $65 dólares o más, y seguimos vaciando los anaqueles.

Los estudios de investigación sugieren que la vitamina C tópica puede ayudar a proteger el cutis de varias maneras, dice la Dra. Price. "Existen pruebas contundentes que demuestran que la vitamina C tópica funciona como antioxidante, ayudando así a proteger el cutis de los daños causados por los radicales libres —dice—. También existen pruebas fehacientes de que ayuda a proteger el cutis que se expone al sol: cuando la vitamina C se aplica sobre el cutis, este se quema menos. Y la vitamina C tópica puede tener un efecto protector cuando se usa junto con un filtro solar".

Okey, muy bien. Pero, ¿en realidad la vitamina C "regenera el colágeno", "renueva la elasticidad y la firmeza" y "promueve un cutis más terso, firme y juvenil" tal y como afirman los principales fabricantes de este producto?

Según estudios de investigación preliminares (muchos de los cuales, por cierto, fueron realizados por las empresas que venden este producto), el ácido L-ascórbico en efecto puede promover la formación de colágeno. Además, algunos dermatólogos, incluyendo a la Dra. Clark, juran que el cutis de sus pacientes que usan vitamina C tópica parece más fresco, con una pigmentación más uniforme, es menos propenso a mancharse y, en algunos casos, luce menos arrugado.

Otros dermatólogos dicen que no está comprobado sin lugar a dudas si la vitamina C tópica en efecto posee propiedades para combatir las arrugas. "Hay pocos datos científicos que sugieran que la vitamina C tópica revierta definitivamente las arrugas y promueva la producción de colágeno, aunque es posible que lo haga", dice la Dra. Price.

¿Qué es lo que ella les dice a sus pacientes sobre la vitamina C tópica? "Yo les digo que, por lo pronto, la mejor manera de proteger su cutis es usando un filtro solar de espectro amplio que contenga óxido de zinc transparente (*transparent zinc oxide*). Y luego, si les alcanza el dinero, deben usar vitamina C tópica, porque la combinación de ambos probablemente les protegerá más el cutis que el filtro solar por sí solo".

En general, la vitamina C tópica se aplica sobre la piel limpia y seca una vez al día. Según los fabricantes de *Cellex-C*, uno de los productos de vitamina C tópica más populares, las arrugas finas se volverán menos notorias en un lapso de tres a ocho meses.

Consejos para usar la "C"

Tenga en mente que aún no se ha comprobado contundentemente que la vitamina C tópica disminuya las arrugas. ("Dado que la vitamina C tópica cuesta alrededor de $70 dólares por ampolleta, yo preferiría gastar mi dinero en tretinoína", dice la Dra. Terezakis). Por otra parte, si usted quiere maximizar la eficacia de su filtro solar, quizá valga la pena comprarla. . . si le alcanza el dinero. Vamos a suponer que sí le alcanza.

Muy bien, pero antes de gastarse el dinero por gusto, debe saber primero que la mayoría de los productos a base de vitamina C que encontrará en la tienda no funcionan. Según la Dra. Clark, esto se debe principalmente a que la vitamina C es extremadamente inestable y pierde rápidamente su potencia. Además, no hay forma de averiguar cuánta vitamina C contienen estos productos o si se encuentra en una forma que no se va a descomponer en el mismo instante en que abra el tarro o si no se ha descompuesto ya por la presencia de otros componentes.

Los *únicos* productos de vitamina C tópica cuyos efectos en la piel madura han sido científicamente comprobados contienen una concentración del 5 al 15 por ciento de ácido L-ascórbico (*L-asorbic acid*), que es una forma específica de la vitamina C. También tienen un pH bajo, lo cual ayuda a que la piel absorba la vitamina. Son formulaciones puras que no contienen componentes adicionales, tales como filtros solares u otras vitaminas, y se guardan en dispensadores herméticos que evitan que la vitamina C se descomponga y se ponga café por la acción del oxígeno.

Se ha mostrado que estos productos penetran la piel y la protegen contra la formación de radicales libres.

Actualmente, diversas marcas de vitamina C tópica cumplen con estos estándares, dicen la Dra. Price y la Dra. Clark. Y puede encontrarlas en todas las secciones de cosméticos de las tiendas de departamentos lujosas, consultorios de los profesionales del cuidado del cutis con licencia y los salones para el cuidado de la piel. También las puede conseguir comprándolas por correo.

El *High-Potency Serum* de la marca *Cellex-C* contiene un 10 por ciento de ácido L-ascórbico. Otra marca, *EmerginC,* ofrece un suero (con un 12 por ciento de ácido L-ascórbico) y una crema (con un 10 por ciento). La línea de productos *Skinceuticals* incluye el *High-Potency Serum 15* (con un 15 por ciento de ácido L-ascórbico) y el *High-Potency Serum* (con un 10 por ciento).

Cómo aprovechar la C al máximo

¿Quiere comprobar por su propia cuenta si la vitamina C tópica suaviza sus arrugas y líneas delgadas? Para aumentar su probabilidad de éxito, siga estas recomendaciones de los expertos.

Almacene la C correctamente. Para evitar que la crema o el suero de vitamina C se descomponga demasiado rápido, guárdelo en un lugar fresco y oscuro, dice la Dra. Clark. No hay problema si la crema se torna de color miel o ámbar, indica la dermatóloga. Pero si adquiere un color café oscuro o empieza a oler raro, tírela a la basura.

Utilice una bomba. Una botella con bomba no deja pasar el oxígeno al interior, lo cual alargará la vida del producto, dice la Dra. Clark.

Utilice la C antes de contar borreguitos. El ácido L-ascórbico tarda una hora completa en penetrar adecuadamente la piel, dice la Dra. Clark. Por lo tanto, en lugar de usar un producto de vitamina C tópica en la mañana —y tener que esperar antes de aplicarse el humectante y maquillaje— aplíqueselo en la noche, antes de irse a la cama. Si también está usando *Retin-A* o *Renova,* o si está alternando otros productos, entonces aplíquese la vitamina C tópica aquellas noches en que no se aplique los otros productos, dice.

No escatime con el filtro solar. Si bien la vitamina C tópica parece ofrecer una protección adicional contra los efectos del sol, *no* es un filtro solar, dice la Dra. Price. Entonces sígase untando ese SPF de 15.

Sexo

Ahora viene lo bueno

¿Desearía tener veintitantos años de edad otra vez? En un estudio titulado *Sex in America* (El sexo en los Estados Unidos), en el que se realizó una encuesta de más de 3,000 personas, se encontró que las mujeres que estaban a principios de su década de los 20 años de edad reportaban la menor cantidad de orgasmos durante el sexo, mientras que las mujeres en sus décadas de los 40 y 50 años de edad reportaban una mayor cantidad.

Es verdad. . . en el caso de las mujeres, el sexo mejora con la edad.

Y no sólo eso, sino que entre mejor se pone, más jóvenes nos sentimos. "Las mujeres me dicen que esta es una época realmente especial en su vida, que se sienten realmente jóvenes. El sexo es algo que va a continuar en sus vidas", dice Louise Merves-Okin, Ph.D., una sicóloga clínica y terapeuta conyugal y familiar de Jenkintown, Pensilvania.

Pero, ¿cómo puede ser esto cierto? ¿Qué no se supone que todo *empeora*, se empieza a descomponer y a desbaratarse con la edad? Sea lo que sea que *supuestamente* debería pasar, las expertas indican que hay tres áreas de nuestra vida donde las cosas definitivamente mejoran.

Nuestro cuerpo. Las adolescentes no tienen la exclusiva cuando se trata de la "inundación hormonal". Muchos investigadores del sexo creen que debido a una elevación en el nivel de hormonas, una mujer llega a su pico sexual en su década de los 30 años de edad o después, dice Karen Donahey, Ph.D., directora del programa de terapia sexual y conyugal del Centro Médico de la Universidad del Noroeste en Chicago. Para entonces, las mujeres también tienen un mejor conocimiento y aceptación de su cuerpo. Ya saben lo que les gusta y lo que no les gusta.

Y después de la menopausia, desaparece el riesgo de quedar embarazada. "Muchas mujeres se sienten más sexuales después de la menopausia porque no tienen que preocuparse por la anticoncepción", dice Alice Kahn Ladas, Ed.D., una sicóloga con licencia que ejerce en la ciudad de Nueva York y en Santa Fe, Nuevo México.

Nuestros sentimientos. Las mujeres que ya rebasan los 35 años de edad tienden a estar en una relación segura, haber avanzado en su carrera profesional, sentirse felices con sus hijos y su vida de hogar y sentirse más seguras de sí mismas en general. Cuando todo lo demás en nuestra vida

EL SEXO: ¿EL VERDADERO ELIXIR DE LA JUVENTUD?

Olvídese de darse una vuelta por el pasillo de productos para el cuidado del cutis. Según unos investigadores de Escocia, el secreto para lucir más joven se encuentra en su propia alcoba.

Los investigadores del Hospital Real en Edimburgo entrevistaron a 3,500 personas que se veían y sentían más jóvenes de lo que en realidad eran. En esta encuesta se encontró que en comparación con una persona común, estas personas de apariencia más juvenil tenían relaciones sexuales a una tasa "significativamente mayor tanto en calidad como en cantidad".

"Mejorar la calidad de la vida sexual puede ayudar a una persona a lucir de cuatro a siete años más joven", dice el Dr. David Weeks del Hospital Real en Edimburgo, Escocia. "Esto es el resultado de una disminución significativa en el estrés, una mayor satisfacción y mejor sueño".

está bien, a menudo lo que sigue es una vida sexual satisfaciente. "Cuando nos sentimos satisfechas y contentas con nuestra vida, podemos lograr una mayor satisfacción sexual", dice la Dra. Donahey.

Nuestras circunstancias. A medida que nos acercamos a nuestra década de los 40 y 50 años de edad, nuestras responsabilidades familiares ya no son tantas. Nuestros hijos se van de casa o ya son lo suficientemente grandes como para depender menos de nosotras. Ahora podemos enfocar más de nuestra energía emocional a nuestra vida amorosa. Y para muchas de nosotras, este es el momento en que realmente empezamos a disfrutar el sexo como nunca antes.

Por supuesto, no todos los obstáculos que nos impiden tener una buena vida sexual se van de casa junto con nuestros hijos. La vida diaria puede encontrar la forma de interponerse entre usted y la alcoba, si lo permite. Pero con el enfoque correcto, puede mantener la llama ardiendo en su relación para siempre. A continuación ofrecemos unas ideas incendiarias.

Hacer tiempo para hacer el amor

Después de un día entero de mandados, quehaceres, cocinar, limpiar y trabajar, puede que el sexo ni siquiera le pase por la mente, y si le llega a pasar, usted lo enfrenta con desgana. "Escucho esto cada vez más en mi consultorio. Para cuando las personas se pueden dar un respiro a las altas horas de la noche, lo último que quieren hacer es hacer el amor", dice la Dra. Adelaide Nardone, una ginecóloga de Mount Kisco, Nueva York.

A medida que la carga de trabajo y las responsabilidades familiares se van acumulando, algo tiene que sacrificarse. Por desgracia, lo que a menudo se sacrifica es el sexo. Frecuentemente, no es que tenga problemas con su libido, sino que usted anda tan apurada que simplemente está agotada, dice la Dra. Nardone.

Por lo tanto, no se preocupe. Lo único que su vida sexual necesita es que la nutra. "Necesita dedicarle tiempo a las cosas que disfruta. Usted trata de ser creativa y de procurar que las cosas importantes en su vida sean especiales. Su sexualidad no tiene por qué no ser así", dice la Dra. Merves-Okin.

¿Necesita un empujoncito? Aquí le damos algunas ideas para recuperar la pasión.

Anótelo en su agenda. En el mundo caótico de hoy, nada parece hacerse si no se programa. Lo mismo ocurre con el sexo. "Haga un esfuerzo consciente por apartar un poco de tiempo para el sexo. Quizá le parezca poco natural, pero funciona. Por ejemplo, un partido de tenis no le va a caer del cielo. Usted tiene que hacer ciertos arreglos para poder jugar tenis", dice Wendy Fader, Ph.D., una sicóloga con licencia y terapeuta sexual certificada de Boca Ratón, Florida. Anótelo en su agenda. Considérelo de la misma forma que consideraría cualquier otra cita importante, porque *de hecho* es igualmente importante.

Ponga el ambiente. Encienda unas cuantas velitas, abra una botellita de vino, ponga un disco de música romántica, incluso baile con su pareja en su dormitorio (recámara). Cuando una crea un ambiente romántico, las cosas suelen darse. Haga que el sexo sea una forma placentera de terminar el día, en lugar de convertirlo en un quehacer, dice la Dra. Merves-Okin.

Levántese tempranito. Sin importar qué tan ajetreado haya estado su día, probablemente estará demasiado cansada a las 11:00 P.M. como para hacer el amor. No permita que el sexo se convierta en una actividad exclusivamente nocturna, dice la Dra. Nardone. Levántese media hora antes

EL RELOJ BIOLÓGICO: ¿AHORA SE QUEDA FUNCIONANDO MÁS TIEMPO?

Una mujer da a luz a su primer hijo a los 63 años de edad. Las pacientes de una clínica de fertilidad de California tienen 48 años de edad *en promedio*. ¿Por qué se están esperando tanto tiempo las mujeres para embarazarse? ¿Ha cambiado algo en nuestro reloj biológico?

En realidad, el reloj no ha cambiado en lo absoluto. "Sigue funcionando por su propia cuenta", dice la Dra. Faith Frieden, directora de Medicina Maternofetal del Hospital y Centro Médico Englewood en Nueva Jersey. "Pero las mujeres y la tecnología médica están estirando los límites".

El cuerpo de una mujer funciona de la misma forma que siempre ha funcionado. Cada mes, durante la ovulación, ella libera un óvulo que puede ser fertilizado. Este proceso continúa hasta que pasa por la menopausia, generalmente a principios de su década de los 50 años de edad. Una mujer cuenta con la posibilidad de embarazarse siempre y cuando siga ovulando.

Sin embargo, la calidad y cantidad de óvulos disponibles disminuye con la edad, reduciendo su fertilidad. No es sino hasta fechas recientes que los avances que se han hecho en el campo de la fertilidad han incrementado la probabilidad de tener hijos a una edad más avanzada. "Las mujeres sienten que tienen más opciones, gracias a la tecnología", dice la Dra. Frieden.

y haga el amor en la mañana o salga de la oficina a la hora del almuerzo y reúnase con su pareja en su casa.

Los rapidines no son tan malos. Aproveche esos cuantos minutos que le sobren aquí y allá. "Existen todo tipo de posibilidades para tener un encuentro sexual —dice la Dra. Fader—. Un rapidín de 10 minutos puede ser maravilloso. No siempre tienen que ser sesiones maratónicas de dos horas".

Eche pa'fuera a los niños. Tranquila, no estamos recomendando que los abandone en un orfanato. Pero sí puede llamar a una niñera o pídale a algún familiar que cuide a sus hijos mientras usted y su esposo dis-

Además, las mujeres ahora están más saludables que sus homólogas de años atrás. Pueden esperar vivir mucho más tiempo que sus bisabuelas y conservarse mucho más sanas en la edad madura, de modo que se están esperando hasta finales de su década de los 30 años de edad y principios de su década de los 40 años de edad para tener hijos. Mientras tanto, muchas se están desarrollando dentro del ámbito profesional, dice la Dra. Frieden.

Desgraciadamente, los embarazos que se llevan a una edad más tardía sí plantean ciertos riesgos. En un estudio de 24,000 mujeres realizado en la Universidad de California, Davis, se encontró que las madres primerizas de más de 40 años de edad presentan el doble de probabilidad de que les practiquen una cesárea y también presentan una probabilidad mucho mayor de desarrollar diabetes e hipertensión inducidas por el embarazo. "Ciertamente es posible y altamente probable que el resultado sea favorable, pero estas mujeres deben saber en qué se están metiendo —dice la Dra. Frieden—. Por desgracia, los embarazos que se llevan a una edad más tardía conllevan un mayor riesgo de anormalidades fetales, como por ejemplo, el síndrome de Down".

frutan de un fin de semana romántico o incluso de una cena sensual y relajante, sugiere la Dra. Nardone.

Piense en el sexo durante *todo* el día. "Cuando se despierte en la mañana, piense en el sexo. Si piensa en el sexo todo el día, es más probable que ocurra", dice la Dra. Fader. Si logra sentir una sensación de expectación, no podrá aguantarse las ganas de llegar a casa.

Insinúele sus deseos. Ahora que su mente está bien enfocada, su trabajo es lograr que la mente de su esposo se enfoque hacia la misma dirección. "Seduzca a su pareja a lo largo del día", dice la Dra. Fader. Déjele notitas de amor que sugieran que lo estará esperando cuando llegue a casa. O si se atreve, pruebe el arte de seducirlo por teléfono. "Eso hará que se les facilite el camino hacia el destino final de reunión. Es muy excitante", dice.

Dígale que lo ama. El sexo es la máxima expresión del amor que sienten el uno por el otro. Por desgracia, las ocupaciones diarias hacen que a veces se nos olvide expresar ese amor. Sin ese sentimiento general de cariño y ternura, el sexo a menudo cae en el olvido. "Su hombre quiere saber que usted está interesada en él y que lo ama —dice la Dra. Merves-Okin—. Empiece la mañana dejándole una nota que diga, '¡Estoy encantada de haberme casado contigo!' Dígale, 'Te amo', todos los días y háblele de las cosas que le encantan de él".

Póngase su vestidito negro. Después de pasar todo el día de *jeans* y sudadera, no se sentirá particularmente seductora. Pero si se pone un vestido de fiesta o un negligé, quizá descubra que verse *sexy* la hará sentirse *sexy*. "Aunque sólo vayan a estar ahí usted y su esposo, póngase algo bonito. Usted se sentirá como una mujer", dice la Dra. Nardone.

Entren en contacto. El sexo no debería ser el único momento del día en que usted y su pareja se tocan. Tómense de las manos, abrácense, bésense y duerman acurrucados todos los días, dice la Dra. Merves-Okin. El simple afecto a menudo se convierte en una vida sexual maravillosa y llena de amor.

Tómense un tiempo para *no* hacer el amor. Sus hijos no son los únicos que necesitan pasar tiempo de calidad con usted. Salgan a caminar o aparten 10 minutos al día para preguntarse cómo les fue en su día. "Adquieran un sentido de unión", dice la Dra. Nardone. Esa sensación de "estar conectados" fomenta una atmósfera de amor y cariño donde el sexo puede prosperar.

Cada noche es una experiencia nueva

Una paciente de la Dra. Nardone, una mujer soltera de más o menos 40 años de edad, entró a su consultorio un día hablando maravillas del nuevo amor en su vida, un hombre de más o menos 40 años de edad. Ella habló sin parar de que hacían el amor dos veces al día todos los días. ¿Adónde encontró su inspiración esta pareja de edad madura? En la misma novedad de su relación. Tenía chispa, romance, espontaneidad. . . las mismas características que conducen a una vida sexual fenomenal.

Lo que muchas perciben como una falta de deseo es, para ser honestas, aburrimiento. Si bien pasar años con la misma pareja genera una intimidad y cercanía que pueden mejorar el placer sexual, también puede crear una actitud de "ya lo viví, ya lo hice". "Cualquier cosa que haga durante 15 años va a terminar por ser aburrida —dice la Dra. Fader—. Incluso las personas que dicen que tienen una vida sexual bastante buena se dan cuenta de que ya tienen el procedimiento bastante ensayado. Hacen el amor de la misma forma todas las veces. Tiende a convertirse en un evento monótono".

No se preocupe. . . para reavivar la pasión sexual no tiene que tirar a la basura años de una buena relación establecida a cambio de una pareja nueva. De hecho, combinar su madurez e intimidad con la novedad y la excitación llevará su vida sexual a un nivel totalmente nuevo. Lograr que lo común se vuelva novedoso le llevará un poco de creatividad y tiempo, pero los resultados bien valdrán la pena. Aquí le decimos cómo mantener el fuego encendido en su alcoba.

Cambie el escenario. Cambios pequeños —como una velita por aquí, música por allá, unas flores en el florero— pueden hacer que se sienta como una experiencia totalmente nueva. "Yo comenzaría por encender una vela. Haga que el ambiente sea más incitante", dice la Dra. Fader.

Consiéntase con satín. Nada dice, "Hagamos el amor" como unas sábanas de satín. Estas sábanas sedosas, lujosas, suaves y *sexy* transforman un simple dormitorio en un paraje exótico, dice la Dra. Fader. Tienda la cama con sábanas de satín cuando quiera insinuarle a su esposo que ahora es cuando.

Encuentre un lugar nuevo. ¿Siempre hacen el amor en el dormitorio? ¿Por qué no prueban hacerlo en la cocina, la sala, el baño? El solo hecho de hacer el amor en otro cuarto de la casa puede hacer que lo ordinario se convierta en algo extraordinario, dice la Dra. Ladas. Si quiere irse más lejos aún, rente un cuarto de hotel o dénse unas vacaciones de fin de semana y hagan el amor en un ambiente totalmente diferente.

Encuentren nuevas formas de darse placer. Para la mayoría de las parejas, el sexo es una actividad enfocada hacia una meta. Todo conduce a un objetivo en particular: el orgasmo durante el coito. Eso le quita gran parte de la diversión, dice Beverly Whipple, R.N., Ph.D., profesora de Enfermería de la Universidad Rutgers de Enfermería en Newark, New Jersey. "A mí me gusta enseñarles a las personas a subir por 'la escalera del placer'. Cada escalón es placentero en sí y puede conducir al escalón siguiente, pero no necesariamente tiene que hacerlo". La Dra. Whipple recomienda que traten de darse placer sin llegar al coito. Experimenten y descubran otras cosas que disfruten, como acariciarse, besarse y acurrucarse.

Aprendan qué otras cosas les gustan a sus cuerpos. Pasen un día entero acariciándose todo el cuerpo, de pies a cabeza. Prueban caricias suaves o tocarse con más fuerza como si estuvieran dando masajes. Quizá descubran que muchas otras partes de sus cuerpos —sus oídos, los dedos de los pies y las rodillas— también pueden ser sensuales y eróticas, dice la Dra. Whipple. Estos descubrimientos les darán muchas ideas nuevas para hacer el amor.

Inviertan los papeles. ¿Siempre es usted la seducida y él el seductor o viceversa? Cámbiense de lugar. Jugar el mismo papel cada vez mientras hacen el amor puede ser tan aburrido como hacerlo en el mismo lugar y a la misma hora de siempre, dice la Dra. Merves-Okin. Jugar papeles diferentes puede hacerlo parecer como una experiencia nueva.

Vístase para irse a la cama. Usar un negligé o cualquier otra prenda que le parezca *sexy* puede hacer que su vida amorosa se convierta en algo un poco más extraordinario. "No tiene que ser un camisón transparente. Puede ser algo bonito que se sienta rico cuando roza su piel. O también puede usar una bata bonita. Cualquier cosa que la haga sentirse *sexy*", dice la Dra. Merves-Okin.

Busquen nuevas fuentes de inspiración. Los libros y videos eróticos de alta calidad le pueden enseñar a las parejas nuevas formas de expresar su amor. Una de tales series la publica el Instituto Sinclair de la Intimidad, el cual produce *Better Sex Video Series* y *The Couples Guide to Great Sex over 40*. "Estos son videos educativos muy buenos", dice la Dra. Whipple. Pero siempre que usen videos eróticos, ambos tienen que estar de acuerdo y sentirse cómodos, enfatiza.

Cómo lidiar con los cambios

Para cuando cumplimos 50 años, nuestra vida puede estar mucho más abierta al placer sexual. Los hijos ya no viven en casa, nos sentimos más seguras de nosotras mismas y no tenemos que preocuparnos por evitar el embarazo. Pero nuestro cuerpo también está atravesando por cambios que podrían interferir con nuestra vida sexual. "Efectivamente se dan cambios físicos, pero no son algo con lo que no podamos lidiar", dice la Dra. Whipple.

El cambio más importante ocurre en nuestro nivel de estrógeno, dice la Dra. Whipple. Aunque, en promedio, las mujeres llegamos a la menopausia a principios de nuestra década de los 50 años de edad, el nivel de estrógeno empieza a caer incluso desde los 35 años. Los niveles bajos de esta hormona pueden causar sequedad vaginal, lo cual puede hacer que el sexo se vuelva doloroso o incómodo. "Muchas mujeres no asocian este problema con los niveles de estrógeno porque a los 35 años de edad ni siquiera han comenzado a pensar todavía en ese tipo de cambios", dice. Pero si no se le da tratamiento adecuado, la falta de lubricación puede durar durante y después de la menopausia.

Estos cambios pueden ser desalentadores, pero las mujeres que lidian con ellos y se adaptan a los mismos frecuentemente encuentran que su vida sexual sigue siendo satisfaciente y que incluso puede llegar a ser mejor de lo que nunca antes había sido. "Usted tiene que aceptar que el cambio es inevitable en todos los aspectos de su vida. Lo que me gustaba a los 25 no es lo que me gusta a los 40, pero eso no significa que lo que me gustaba a los 25 era mejor. No significa que su vida sexual ya terminó. Sólo significa que es diferente", dice la Dra. Donahey.

Aquí le damos algunas estrategias para ayudarla a sobreponerse a estos obstáculos.

Acepte los cambios. Una mujer premenopáusica tarda de 6 a 20 segundos en lubricarse después de que se excita. Una mujer posmenopáusica tarda de uno a tres minutos. En vez de tenerles miedo a estos cambios, trabaje con ellos, dice la Dra. Donahey. Quizá tenga que tomarse más tiempo durante el sexo, usar aditamentos sexuales o encontrar otras formas de darse placer mutuamente. Adaptarse a estos cambios puede ser divertido y excitante, afirma. Las parejas que tienen problemas durante esta época a menudo son las que insisten en hacer todo de la misma forma en que siempre lo han hecho.

Aplíquese lubricante. Pruebe algo de lubricación artificial para que el sexo le siga siendo cómodo. Aplíquese un lubricante soluble en agua que se venda sin receta (como *K-Y jelly*, *Replens* o *Astroglide*) justo antes del coito. Hay otros productos como el *Vagisil Intimate Moisturizer* que se pueden usar en cualquier momento. Incluso puede hacer que la aplicación del lubricante sea una parte placentera de la experiencia sexual, dice la Dra. Whipple, en vez de verlo como algo que la hace recordar un problema.

Ejercite su pelvis. De verdad existe un ejercicio que la ayuda a mejorar su vida sexual. Los ejercicios de Kegel fortalecen los músculos del piso de la pelvis. Para encontrar sus músculos pélvicos, dice la Dra. Ladas, apriete el área de la pelvis como si estuviera tratando de detener el flujo de orina. Una vez que los haya encontrado, contraiga los músculos y manténgalos apretados durante uno a dos segundos y luego relájelos. Al principio, repita este ejercicio unas 5 a 10 veces. Trate de ir incrementando gradualmente la duración de la contracción hasta que llegue a mantenerla durante 10 segundos, 10 veces consecutivas. Ella también sugiere que haga algo que ella llama "contracciones rápidas": contraiga y relaje los mismos músculos pélvicos lo más rápido que pueda. La Dra. Ladas recomienda que haga 100 de estas contracciones al día.

Hágalo lo más que pueda. Las mujeres que tienen relaciones sexuales dos o más veces por semana tienen el doble de estrógeno circulando en su sangre en comparación con las mujeres que no tienen relaciones sexuales con la misma frecuencia, dice la Dra. Whipple. Al hacer el amor con más frecuencia, usted produce más estrógeno, el cual lubrica a la vagina, facilitándole tener relaciones sexuales.

SOBREPESO

Liquide esas libras de más

A medida que una se va a acercando a la madurez, va adquiriendo mayor entendimiento, control, seguridad en sí misma, sabiduría, importancia, libertad y, desgraciadamente, también un mayor peso. Independientemente de que sea una mala broma de la Madre Naturaleza o un accidente de la evolución, el numerito de la pesa (báscula) y la edad de una mujer van aumentando de la mano conforme ella se acerca a su década de los 30, 40 o más años de edad.

Durante esta época de su vida, existen muchos tipos de factores que actúan en su contra mientras lucha contra esas libras de más. "No es difícil aumentar de peso. Con la edad, ocurre todo tipo de cambios metabólicos que promueven el aumento de peso", dice Susan Roberts, Ph.D., profesora de Nutrición y Psiquiatría de la Universidad Tufts en Boston, Massachusetts.

Para empezar, el metabolismo del cuerpo se hace más lento. En otras palabras, ahora usted quema menos calorías durante una actividad que las que hubiera quemado hace 20 años. "Incluso los atletas gastan menos energía con la edad", dice la Dra. Roberts.

Durante esta etapa de la vida, una también tiende a ser menos activa físicamente que cuando era más joven, lo cual hace que se quemen calorías con aún más lentitud. Y para cerrar con broche de oro, la masa muscular disminuye naturalmente con la edad. Dado que el músculo gasta más combustible energético que cualquier otro tipo de tejido, incluyendo la grasa, esta reducción en la masa muscular hace que disminuya aún más la quema de calorías.

Todo esto suena a que estamos condenadas a la gordura, pero hay buena razón para animarnos. No se supone que tenemos que tener el mismo cuerpo que teníamos a los 25, y puede que un poco de peso adicional no nos haga daño, especialmente si nos mantenemos físicamente activas. En promedio, las mujeres aumentan de 10 a 15 libras (4.5 a 7 kg) para cuando cumplen los 60 años de edad, dice el Dr. Michael Hamilton, director médico y director de programas del Centro de Dieta y Condición Física de la Universidad Duke en Durham, Carolina del Norte.

La clave durante estos años es encontrar un peso *saludable*. Aquí le decimos cómo encontrar su propio peso adecuado y qué hacer para mantenerse ahí.

Evalúe su peso. . . pero sin subirse a la pesa

Las pesas son uno de los artefactos más temidos por nosotras las mujeres, pues hemos aprendido a medir nuestro propio valor y salud en función al numerito que estas nos indican. Nosotras buscamos ese número mágico que nos hará saber que todo está bien. Pero la ciencia se ha ido más allá de los dígitos que aparecen en la pesa y ha encontrado que existen otros factores, además del peso, que tienen una influencia mucho más significativa sobre la salud.

Muchos expertos en el peso ahora recurren al índice de masa corporal (*BMI* por sus siglas en inglés) para medir su bienestar. El BMI compara su talla contra su peso. Un BMI saludable generalmente cae dentro del rango de 20 a 25, dice Susan Fried, Ph.D., profesora de Ciencias de la Nutrición de la Universidad Rutgers en New Brunswick, New Jersey. De tal modo, si usted tenía un BMI de 21 cuando estaba en su década de los 20 años de edad pero ahora tiene un BMI de 23, se sigue considerando que usted está en un peso normal y saludable.

Sin embargo, si su BMI es de más de 25, quizá sea hora de hacer algunos cambios. Se considera que una persona tiene sobrepeso cuando

ADELGACE POR ACTO DE MAGIA

¿Cómo puede hacer que desaparezcan unas cuantas libras? Abriendo su clóset. Estos son algunos secretos que encierra su guardarropa que la harán lucir más delgada tanto esfuerzo.

Vístase con lo vertical. Las líneas y rayas verticales hacen que el ojo vaya de arriba abajo, haciéndola lucir más alta y delgada.

Húyale a lo horizontal. Las rayas horizontales hacen que uno se fije en la anchura, haciéndola lucir más gorda de lo que está.

Conviértase en una princesa. El corte de princesa —una terminación en pico en el torso del vestido— crea la apariencia de una cintura más delgada.

presenta un BMI de 25 a 30, mientras que un BMI de más de 30 ya se considera como obesidad. Si usted se encuentra en cualquiera de estos dos rangos, le haría un favor a su salud si perdiera algo de peso. ¿Por qué? Porque un BMI de más de 25 se ha asociado con una incidencia mayor de enfermedades cardíacas, diabetes y cáncer de mama. Las cifras de más 30 se han vinculado de manera aún más estrecha con estos problemas.

Para calcular su BMI, multiplique su peso en libras por 705. Divida el resultado entre su altura en pulgadas, luego divida nuevamente ese resultado entre su talla en pulgadas. Entonces, si usted pesa 145 libras y mide 66 pulgadas, su BMI será de 23.4, el cual cae dentro del rango saludable.

Pero el BMI no es el fin del cuento. El lugar donde aumente de peso puede ser igualmente importante como la cantidad de peso que aumente, dice la Dra. Fried. Las mujeres que guardan la grasa excedente en su abdomen corren un mayor riesgo de desarrollar enfermedades asociadas con el peso que aquellas que aumentan de peso en los muslos, caderas o trasero. Así pues, los investigadores han ingeniado otro lineamiento para evaluar el peso y el riesgo que este representa para la salud: la circunferencia de la cintura. Si su cintura mide más de 35 pulgadas (87.5 cm), dice la Dra. Fried, puede que usted corra un mayor riesgo de padecer enfermedades cardíacas, derrames cerebrales, diabetes, presión arterial alta y ciertos tipos de cáncer.

El BMI y la circunferencia de la cintura sirven bien como lineamientos generales, pero es posible estar en forma perfecta con un BMI de más de 25. Y una también puede estar fuera de forma y llevar un estilo de vida poco saludable y tener un BMI de menos de 25. Aquí le damos algunos otros criterios para ayudarla a decidir a qué nivel debe estar su peso.

Nivel de condición física. Si usted anda cargando de unas 10 a 15 libras de más, pero es una mujer físicamente activa y puede realizar las tareas cotidianas —subir y bajar colinas, subir escaleras, correr para alcanzar el autobús— sin problemas, entonces lo más probable es que usted esté bien, dice Jill Kanaley, Ph.D., profesora de Ciencias del Ejercicio de la Universidad de Syracuse en Syracuse, Nueva York. Si usted no tiene una buena condición física y tiene problemas para desplazarse, entonces es posible que su peso represente un riesgo para su salud.

Antecedentes familiares. Si sus padres tienen sobrepeso y tienen problemas como presión arterial alta, colesterol alto o diabetes, lo más probable es que el peso adicional pueda causarle los mismos problemas a usted, dice la Dra. Kanaley. Pero si su mamá y papá tuvieron sobrepeso toda su

DE MUJER A MUJER
Su autoimagen mejoró después de que se miró con honestidad

Desde que ella empezó a comprar sus vestidos en el departamento de "regordetas" cuando era preadolescente, Mary Talbot, una ejecutiva de mercadotecnia y relaciones públicas de 35 años de edad de Barrington, Rhode Island, ha tenido que librar una batalla campal con su peso. Durante la mayor parte de su adolescencia y vida adulta, ella prácticamente ha dejado de comer y ha ejercitado su cuerpo al máximo, y todo para que le siga quedando la ropa talla 12. Luego, una visita al consultorio de un doctor le hizo darse cuenta que su obsesión con su peso estaba controlando su vida y arruinando su autoestima. Esta es su historia.

Durante la mayor parte de mi década de los 20 años de edad, fui una mujer de talla 12. Las personas que me veían decían que era una mujer de talla común, quizá un poco rellenita, pero nunca gorda o con sobrepeso. Estas personas no sabían que yo hacía ejercicio cinco días a la semana y que apenas comía. Yo corría al menos 25 millas (40 km) a la semana. Mi alimentación típica consistía en una ensalada grande, un yogur, quizá un *bagel* y algún tipo de proteína para cenar. Y nada más. Calculo que consumía sólo de 1,000 a 1,250 calorías al día. A pesar de esto, nunca fui más delgada de lo "normal".

La constante obsesión que tenía por mi peso y la falta de autoestima afectó mis relaciones. En eventos sociales, yo era retraída. También tendía a abrirles la puerta a todos los hombres equivocados. Esto se debía que yo sabía que los buenos hombres que había allá afuera en realidad no se sentían atraídos hacia mujeres con una baja autoestima. Entonces cuando

vida, pero también tenían una buena condición física y vivieron hasta su década de los 80 ó 90 años de edad, entonces usted no tiene tanto de qué preocuparse.

Otros factores de riesgo. Las mujeres que andan cargando unas libras de más pero que en todos los demás aspectos están saludables, no deben

un hombre atractivo se me acercaba, yo dudaba de sus intenciones.

Además, me sentía terriblemente frustrada de no poder conseguir que la pesa (báscula) se moviera. De hecho, llegué a un punto en que me sentía tan frustrada que fui con mi doctor y le dije, "Esto es lo que he comido durante los últimos siete días". Yo llevaba un registro de cada bocado que me comía y era mi alimentación típica. ¿Qué era lo que estaba fallando? Y él me dijo que, en esencia, me estaba matando de hambre y que lo había estado haciendo durante años (. . .) que en realidad, no estaba comiendo suficiente. Él me dijo que mi presión arterial estaba baja, mi colesterol estaba bajo y que mi condición física era extremadamente buena. Él dijo, "Quizá no sea tu destino ser una persona delgada".

Después de eso, decidí que iba a tener que estar satisfecha conmigo misma, pues de otro modo iba a gastar toda esa energía en dietas y ejercicio excesivos. La vida es demasiado corta para eso. Sigo llevando un estilo de vida muy activo y saludable: nado tres o cuatro noches a la semana, hago entrenamiento con pesas y sigo una alimentación sana, pero ya no me preocupa el numerito en la báscula.

Me siento más contenta y más joven de lo que me sentía hace cinco años porque ahora no estoy obsesionada con mi peso. Sólo hubiera deseado tener esta seguridad en mí misma hace 5, 10 ó 15 años. Se siente maravilloso caminar por la playa en mi traje de baño. Soy quien soy y estoy orgullosa de mí misma.

preocuparse demasiado. "No deberían autoflagelarse por su peso", dice la Dra. Kanaley. Pero si usted tiene colesterol alto, presión arterial alta o diabetes, perder esas libras de más podría disminuir su riesgo de desarrollar problemas serios de salud en el futuro.

En caso de que sí necesite bajar de peso, no necesariamente tiene que pasar de un BMI de 30 a uno de 20 a 23 para que su salud se vea beneficiada. Los paneles de expertos y los lineamientos del gobierno han determinado que una caída del 5 al 10 por ciento en el peso corporal —mantenida durante un año— debe considerarse como un éxito, dice Gary Foster, Ph.D., director clínico del programa de trastornos de peso y alimenticios de la Universidad de Pensilvania en Filadelfia. En otras palabras, si usted pesa 200 libras (91 kg) y se considera que tiene sobrepeso, bajar 20 libras (9 kg) se consideraría como una meta razonable y saludable. ¿Por qué un 10 por ciento? Es una meta realista, más fácil de mantener y en diversos estudios de investigación se ha mostrado que una pérdida de tan sólo el 10 por ciento lleva a mejoras en muchas de las afecciones médicas, como la diabetes y la presión arterial alta, que se asocian con el peso excedente, dice el Dr. Foster.

Olvídese de las dietas

Hay una razón por la cual las dietas "de moda" pasan de moda tan aprisa como las botas a go-go y los chongos de los años setenta: no funcionan. Al hablar con expertos en la pérdida de peso, usted escuchará una y mil veces que no existe una dieta mágica para bajar de peso. Si usted disminuye drásticamente su consumo de calorías para bajar de peso, volverá a recuperar el peso que perdió una vez que comience a comer normalmente otra vez.

El secreto no tan secreto para perder y controlar el peso no es un plan alimenticio con un nombre seductor y mucha publicidad, sino una alimentación sana, baja en grasa, que consista principalmente en frutas, cereales y verduras. Si logra que esta alimentación se convierta en una parte de su estilo de vida, entonces no tendrá que preocuparse de recuperar el peso que haya perdido. "Las dietas de moda van y vienen. Una y otra vez hemos comprobado que lo único que realmente funciona es una alimentación equilibrada, saludable y moderada", dice Lorna Pascal, R.D., coordinadora de nutrición del Centro Médico de la Universidad de Hackensack en Hackensack, Nueva Jersey.

Cuando esté planeando y comiendo las comidas, recuerde estas sugerencias que le ayudarán a no aumentar de peso.

Llénese de fibra. La fibra no sólo es buena para su salud, sino que la llena más y con menos calorías, lo cual le permite evitar comer más. En un estudio de investigación que se realizó en el Centro Médico Militar Brooke en Fort Sam Houston, Texas, se encontró que la pectina, que es una fibra soluble que se encuentra en la cáscara de las frutas y las verduras, hacía que la gente se sintiera satisfecha más tiempo. Para consumir más fibra, procure que sus comidas consistan principalmente en frutas, verduras, legumbres y cereales integrales, como pan de trigo integral (*whole-wheat bread*), arroz integral (*brown rice*) y cereales para desayunar hechos con cereales integrales, dice Melanie Polk, R.D., directora de educación en nutrición del Instituto para la Investigación del Cáncer de los Estados Unidos en Washington, D. C.

Opte por lo bajo en grasas y lo magro. Cada gramo de grasa contiene más calorías que un gramo de proteína o carbohidratos. Seguir una alimentación alta en fibra y repleta de frutas, verduras y granos integrales le ayuda naturalmente a disminuir su consumo de grasa, dice Polk. Además, limite el uso de aceites y mantequilla y opte por productos lácteos tales como la leche descremada, el queso bajo en grasa y el yogur bajo en grasa. Si usted come carne, elija porciones moderadas de pollo y pavo sin piel, así como cortes magros de carne de res, tales como *top round*, *bottom round* y *top sirloin*.

Todo con moderación. Ningún alimento es malo si no lo come en exceso. "Vivimos en un mundo donde todo es tamaño extra grande", dice Pascal. Aun las personas que optan por alimentos bajos en grasas aumentarán de peso si los comen en demasía. Usted puede disfrutar casi cualquier alimento, siempre y cuando lo disfrute con moderación.

Coma con todos sus sentidos. Es fácil tragarse un platillo entero sin disfrutarlo y luego todavía terminar sintiéndose insatisfecha. Si usted se enfoca más en su comida, una menor cantidad de comida le bastará, dice Polk. Observe su plato y estudie los colores y las texturas. "Disfrútelo visualmente", agrega. Luego cierre los ojos y huela el aroma de la comida. Cuando se coloque un pequeño bocado en la boca, preste atención a la textura y al sabor de cada pedacito de comida. Mastique lentamente y saboree la comida antes de tragársela, dice. "Usted satisfará todos sus sentidos y se dará cuenta que no necesita comer tanta comida para disfrutarla".

Reduzca las raciones. Aquí le tenemos un acertijo: ¿cuándo es que un *bagel* deja de ser un *bagel*? Cuando es del tamaño de cuatro *bagels*. Sólo porque se coma uno de algo, esto no significa que se esté comiendo una ración. Muchos alimentos —como por ejemplo, los *bagels* grandes— en realidad corresponden a cuatro raciones de pan. Cuando esté comiendo alimentos que se venden a granel, como arroz o pasta, lea la etiqueta y calcule exactamente cuánto corresponde a una ración, dice Pascal. Mida

EL PRECIO DEL EMBARAZO

Después de aumentar de 20 a 50 libras (9 a 23 kg) por hijo, una pensaría que el embarazo contribuye al problema de peso de muchas mujeres. Pero esto no es cierto, al menos en el caso de la mayoría de las mamás. Dos estudios de investigación han descubierto que la mayoría de las mujeres regresan al peso que tenían antes de embarazarse, o bien, se quedan sólo unas cuantas libras por encima de ese peso.

En un estudio realizado en el Hospital Karolinska en Estocolmo, Suecia, se les dio seguimiento a 1,423 mujeres embarazadas hasta un año después de dar a luz. En promedio, las mujeres pesaban una libra (medio kilogramo) más de lo que pesaban antes de su embarazo. El 30 por ciento de las mujeres bajaron a un peso menor al que tenían antes del embarazo, mientras que el 56 por ciento aumentó de 0 a 11 libras (0 a 5 kg). Sólo el 14 por ciento se quedó con más de 11 libras. En otro estudio realizado en la Universidad de Islandia se revisaron 200 mujeres dos años después de dar a luz. Alrededor del 89 por ciento de las mujeres regresaron al peso que tenían antes del embarazo.

Los estudios de investigación no han demostrado que se dé proceso metabólico alguno que haga que una no pueda perder el peso después del embarazo, dice Jill Kanaley, Ph.D., profesora auxiliar de Ciencias del Ejercicio de la Universidad de Syracuse en Syracuse, Nueva York. El que una mujer aumente o baje de peso después del embarazo depende de cuánto coma y cuánto ejercicio haga.

cuánta comida come y compárela con la etiqueta para ver cuántas calorías y gramos de grasas en realidad está consumiendo. Una vez que se aprenda las raciones, podrá determinar a ojo de buen cubero cuánto debe comer.

Que le pongan la mitad para llevar. Debido a que siempre andan tan ocupadas, en la actualidad muchas mujeres salen mucho a comer. Las raciones que sirven en los restaurantes pueden ser hasta cua–

tro veces más de lo que debe ser una ración normal. Para asegurarse de no excederse, pida de antemano que le pongan la mitad del platillo para llevar, dice Polk. Guarde la mitad de la comida incluso antes de que empiece a comer.

Cambie las estrellas en su elenco alimenticio. En el Oeste, la carne generalmente es la estrella en el plato de la gente. Las verduras y los cereales integrales sólo sirven de complemento para la "diva cárnica" que recibe toda nuestra atención. Rompa con esa costumbre, aconseja Polk. Cancélele el contrato a la carne y eleve las verduras y los cereales integrales a ser las estrellas en sus comidas. Cuando coma carne, procure que esta sea la guarnición, no la comida principal.

Utilice especias y sabores. La grasa no es la única manera de darle sabor a la comida. Polk sugiere usar salsas sin grasa como la *teriyaki*, vinagres con sabores o aliño (aderezo) para ensaladas sin grasa. Sazone las verduras y las carnes con hierbas y especias para darles sabor sin agregarles grasa.

Esté bien preparada. Si no tiene a la mano alimentos saludables bajos en grasa, le resultará fácil caer en la trampa de consumir demasiada grasa. Surta su despensa (alacena) con unos cuantos artículos para asegurarse que siempre pueda preparar una comida rápida, sencilla y sabrosa: arroz integral, espagueti integral, frijoles (habichuelas), salsa, verduras congeladas, fruta enlatada, salsa para pasta baja en grasa y caldo de pollo bajo en grasa. Polk señala que estos alimentos se pueden combinar de muchas formas para preparar una comida rápida y sabrosa.

Meriende frutas y verduras. Comerse una merienda (botana, refrigerio, tentempié) no es malo cuando está tratando de perder o mantenerse en su peso. . . siempre y cuando elija meriendas saludables y bajas en grasa, dice Polk. Cuando sienta hambre antes de que sea la hora de comer, pruebe fruta fresca o enlatada, galletas de trigo integral, verduras tales como zanahorias cambray o un vaso de leche semidescremada o descremada.

El ejercicio como parte de su vida cotidiana

El ejercicio es importante en todas las etapas de la vida. El ejercicio la fortalece y le ayuda a combatir la presión arterial alta, las enfermedades cardíacas y la osteoporosis. Pero con la edad, el ejercicio cobra un papel mucho más importante en su régimen de pérdida o control de peso.

El ejercicio no sólo le ayuda a perder peso sino también a no recuperar el peso que ha perdido. Los estudios de investigación han mostrado que las mujeres que siguen haciendo ejercicio regularmente tienen un mayor éxito en mantenerse en su nuevo peso que aquellas que no lo hacen, dice el Dr. Foster.

El ejercicio aeróbico elimina la grasa abdominal, la cual causa más problemas de salud que las libras de más en cualquier otra parte del cuerpo, dice la Dra. Fried.

Los expertos ahora dicen que incorporar el ejercicio como parte de su vida cotidiana es igualmente eficaz que ir a un gimnasio un par de veces a la semana, dice la Dra. Fried.

"Muchas personas piensan que si no están corriendo 5 millas (8 km) al día, no están haciendo ejercicio. Ahora recomendamos hacer de 15 a 20 minutos de alguna actividad —sin importar qué tan sencilla sea— todos los días", agrega la Dra. Kanaley. En un estudio de investigación realizado en el Instituto Cooper para la Investigación del Ejercicio Aeróbico en Dallas, se encontró que la actividad física que forma parte del estilo de vida —como una caminata aprisa o juntar y recoger las hojas caídas— es tan eficaz como una programa estructurado de ejercicio para mejorar la actividad física, la condición cardíaca y respiratoria, la presión arterial y la grasa corporal en adultos sanos pero sedentarios.

Independientemente de que usted ya cuente con un programa de ejercicio o que apenas vaya a comenzar, lea lo siguiente para aprender lo fácil que es incorporar la actividad física a sus labores diarias.

Camine por aquí. Las modas en cuanto al el ejercicio cambian mucho. Por ejemplo, actualmente el *kick-boxing*, el *Tai-bo* y los ejercicios *Pilates* están de moda, pero probablemente nos olvidemos de ellos en un año o dos. En cambio, caminar, que es el ejercicio más barato y más fácil que puede hacer, probablemente nunca pasará de moda. Para empezar a realizar este ejercicio "clásico", pruebe caminar por media hora al día. Si no puede caminar durante media hora en un solo intento, haga caminatas más cortas a lo largo del día. Si puede, procure que caminar sea su principal medio de transporte, dice la Dra. Fried. Si puede caminar a la tienda en lugar de ir en carro (coche), hágalo.

Cuente sus pasos. Según el Dr. Hamilton, usted debe tomar al menos 10,000 pasos al día. En lugar de agobiar a su pobre cerebro tratando de llevar la cuenta de sus pasos en su mente, puede llevar un registro de su actividad física diaria con un podómetro. El Dr. Hamilton usa el suyo, el cual le costó alrededor de $24 dólares, en su cinturón o ropa interior. Este artefacto mide cada paso que toma para que pueda asegurarse de que esté cumpliendo con su cuota de 10,000 pasos al día, dice. Si el Dr. Hamilton no cumple con su cuota algunos días, entonces él ya sabe que necesita salir a caminar o compensar el faltante al día siguiente. "Yo tuve que ir en carro a algún lugar un día, entonces sólo tome 6,000 pasos. Pero al día siguiente, hice una caminata de 2 millas (3 km) y registré 13,000 pasos", dice.

Revuélquese en el lodo. Ya sea que se ensucie trabajando en el jardín o limpiando su casa, ambas actividades queman calorías. "Pasar el día trabajando en su jardín es una forma excelente de hacer ejercicio", dice la Dra. Kanaley. Y aunque limpiar la casa quizá no le suene como algo muy divertido, piense en ello como ejercicio para bajar de peso y no como quehacer.

Inquiétese. ¿Usted piensa que golpear los dedos contra la mesa y estirarse en su escritorio no le ayudarán a perder peso? Piénselo dos veces. Unos investigadores de la Clínica Mayo en Rochester, Minnesota, les dieron 1,000 calorías de más al día a 16 voluntarios durante 8 semanas. Los voluntarios también usaron unos instrumentos que medían su gasto de energía. En este estudio, se encontró que aquellos que andaban inquietos se mantuvieron delgados. Los movimientos pequeños, como golpear los dedos contra una mesa o mover el pie, estirarse y ponerse de pie, a menudo quemaban las calorías que de otro modo se hubieran almacenado como grasa. Usted también se puede convertir en una persona inquieta. Párese y camine más o menos cada 15 minutos, estírese y simplemente manténgase en movimiento a lo largo del día.

Cuente con las cosas pequeñas. Al dar unos cuantos pasos adicionales, usted quemará unas cuantas calorías más y hará un poco más de ejercicio durante el día. "Sea lo menos eficiente que pueda", dice el Dr. Hamilton. Él sugiere algunas cosas sencillas que valen la pena hacer.

- Estacione su carro a unas cuantas cuadras de distancia y camine.

- Evite las puertas giratorias. Abra la puerta usted misma.

- Cargue sus maletas. Nunca use las rueditas de su equipaje.

- Utilice las escaleras siempre que le sea posible.

- Haga varios viajes cuando esté sacando la basura, levantando los platos sucios de la mesa y guardando la ropa doblada.

- Sáquele el mayor provecho a la basura. Cuando la vea, póngase en cuclillas, recójala y luego vaya al bote de basura a tirarla.

Levante para liquidar las libras de más

Bajar de peso no siempre es la mejor forma de lograr caber en un vestido de menor talla. En muchos casos, agregar peso —o mejor dicho, pesas— es la forma perfecta de adelgazar. "El entrenamiento de resistencia merece su lugar en los componentes de condición física para las mujeres", dice Harvey Newton, un especialista certificado en fuerza y acondicionamiento de Colorado Springs, Colorado.

Incluso aunque la pesa (báscula) le indique que no ha perdido un solo gramo de peso, el entrenamiento con pesas tonifica y reafirma el cuerpo que tiene, haciéndola lucir más elegante y delgada. Después de todo, un cuerpo que pesa 145 libras (66 kg) tonificado luce mucho mejor que un cuerpo de 145 libras no tonificado, dice Newton. Y el entrenamiento con pesas también puede aumentar un poco su masa corporal magra. Incluso este pequeño aumento ayudará a acelerar su metabolismo, de modo que su cuerpo quemará más grasa incluso durante el reposo.

Usted puede aprender fácilmente los fundamentos del levantamiento de pesas leyendo un buen libro o mirando un video de ejercicios. Si quiere contar con una guía personalizada, averigüe si el gimnasio de su localidad tiene entrenadores. Asegúrese de preguntar por sus credenciales académicas, certificaciones por parte de organizaciones tales como la NSCA y referencias de clientes satisfechos.

SUPLEMENTOS

Aproveche las "cápsulas del tiempo"

Fosfatidilserina. En realidad no suena como algo muy prometedor, ¿verdad?

Más bien suena a uno de esos componentes imposibles de pronunciar que aparecen en la etiqueta de un champú para cabello. Pero la verdad es que promete. . . y mucho. Este suplemento natural es uno de los productos de vanguardia de la medicina antienvejecimiento. Se ha demostrado que renueva las células del cerebro y agudiza el desempeño mental.

¿Dónde puede encontrar esta sustancia exótica? (Por cierto, se pronuncia como se escribe).

Ahí mismo en el anaquel de la tienda de productos naturales de su localidad, o bien, puede pedirla a través de la *Internet*, junto con otras sustancias antienvejecimiento emocionantes de vanguardia sobre las que quizá todavía no sepa mucho. Entre estas otras sustancias encontramos el ácido alfa-lipóico, la coenzima Q_{10} y la melatonina, por nombrar sólo unas cuantas.

"Estoy seguro de que estos suplementos le parecerán un tanto misteriosos", dice el Dr. Ronald Klatz, D.O., presidente de la Academia de Medicina Antienvejecimiento de los Estados Unidos, con sede en Chicago, que es una sociedad de médicos y científicos que creen que envejecer no es algo inevitable. "Después de todo, desde hace 30 años conocemos el papel que desempeña la vitamina C en la salud y conocemos el de la vitamina E incluso desde hace más tiempo. Estas sustancias son bastante nuevas".

¿Qué es lo que hace tan especiales a estas sustancias?

Por una parte, muchas son antioxidantes potentes, dice el Dr. Klatz. Sólo los antioxidantes pueden neutralizar los radicales libres, que son moléculas inestables de oxígeno que hacen hoyos en las membranas celulares, destruyen a las enzimas vitales, dañan el ADN celular, y, a fin de cuentas, conducen a las enfermedades de la vejez.

Por otra parte, su poder antioxidante es, en algunos casos, muchas veces más potente que el de los antioxidantes mejor conocidos, tales como las vitaminas C y E. Algunas incluso reciclan las vitaminas C y E, dándoles una nueva vida en la batalla interminable contra los radicales libres. Otras se disuelven tanto en grasa como en agua, lo que les permite neutralizar los radicales libres dondequiera que estén, desde el ambiente acuoso de nuestra sangre hasta el entorno graso de nuestro cerebro.

Estas sustancias nuevas tienen el potencial de alargar la vida y prevenir las enfermedades degenerativas asociadas con el envejecimiento, dice el Dr. Klatz. ¡La juventud futura ya anda allá afuera!

Para decidir si estos suplementos podrían beneficiarla, aquí le damos unos resúmenes breves de algunas de estas sustancias que tienen intrigados a los expertos e investigadores de la longevidad.

Aceite de linaza (semilla de lino)

Qué es: Un aceite vegetal poliinsaturado que es una fuente rica de ácidos grasos omega-3. Los estudios de investigación han sugerido repetidamente que los ácidos grasos omega-3 bajan los niveles de colesterol y triglicéridos en la sangre y reducen la pegajosidad de las plaquetas, disminuyendo así el riesgo de sufrir un ataque al corazón o un derrame cerebral. En otros estudios se ha encontrado que los ácidos grasos omega-3 elevan las lipoproteínas de alta densidad (*HDL* por sus siglas en inglés), o colesterol "bueno", que ayudan a sacar de la sangre al colesterol tipo LDL que tapa las arterias. Aunque los aceites de pescado son las fuentes mejor conocidas de ácidos grasos omega-3, el aceite de linaza (conocido en inglés por el nombre *flaxseed oil*) contiene el doble de ácidos grasos omega-3 que los aceites de pescado.

Cómo retarda el envejecimiento: Los investigadores han realizado numerosos estudios de la linaza para estudiar su potencial en la prevención y el tratamiento del cáncer, particularmente el cáncer de mama y del colon. En estudios hechos en animales, la linaza ayuda a evitar que se desarrolle el cáncer de mama y retarda el crecimiento de los tumores de mama que ya existen.

Los estudios de investigación sugieren que las sustancias que se encuentran en la linaza que combaten el cáncer son precursores del lignano, los cuales son compuestos que el cuerpo convierte en lignanos. Estos son compuestos similares al estrógeno que pueden prevenir el cáncer de mama al ocupar los receptores de estrógeno que se encuentran en las células de la mama, bloqueando así el estrógeno más fuerte que provoca el cáncer.

Los lignanos también actúan como antioxidantes y contienen otros compuestos químicos vegetales benéficos. Un número creciente de estudios de investigación sugiere que pueden ayudar a proteger a las personas contra las afecciones crónicas asociadas con el envejecimiento, tales como las enfermedades cardíacas.

Lo que encontrará en la tienda: Existe una amplia variedad de aceites de linaza en el mercado, pero no todos son igualmente benéficos, señala Michael T. Murray, N.D., un docente de la Universidad Bastyr en Kenmore, Washington.

Él recomienda escoger una marca que haya sido procesada usando una técnica que se llama empaque atmosférico modificado (*modified atmospheric packaging* o *MAP* por sus siglas en inglés). Este método exprime el aceite de la semilla a temperaturas bajas al mismo tiempo que lo protege de los efectos nocivos de la luz y el oxígeno. Algunos nombres registrados de la técnica de MAP son *Bio-Electron Process*, el cual es utilizado por *Barlean's Organic Oils*; *SpectraVac Cold-Pressed*, empleado por *Spectrum Naturals* y el proceso *Omegaflo*, usado por *Omega Nutrition*.

Debido a que los precursores del lignano sólo se encuentran en la cáscara de la linaza, muchas marcas de aceite de linaza no contienen estos compuestos benéficos. Algunas marcas que sí los contienen son *Barlean's Organic High-Lignan Flaxseed Oil*, *Spectrum Naturals' High-Lig Flax Oil* y *Hi-Lignan Flax Seed Oil* de *Omega Nutrition*. Estos aceites están disponibles en algunas tiendas de productos naturales o también pueden pedirse por correo.

Finalmente, cuando vaya a comprar el aceite, sólo compre aquellas marcas que vengan en contenedores de plástico resistentes a la luz. La luz hace que cualquier aceite, incluyendo el aceite de linaza, se descomponga y arrancie.

Cuánto debe tomar: Tome una cucharada de aceite de linaza por cada 100 libras (45 kg) de peso corporal al día, sugiere el Dr. Murray.

Guarde el aceite de linaza en el congelador hasta que lo abra. Esto permitirá que sus sustancias benéficas se conserven intactas. Después de abrirlo, guárdelo en el refrigerador. Además, debe tomar el aceite de linaza con alimentos (por ejemplo, puede mezclarlo con yogur). De esta manera, su cuerpo lo absorberá y utilizará los ácidos grasos esenciales con mayor eficiencia. El calor daña fácilmente el aceite de linaza, por tanto no lo use para cocinar.

Advertencias: Debido a su alto contenido calórico, usted podría aumentar de peso si no incluye el aceite de linaza en su cuenta de calorías totales.

(continúa en la página 152)

NO OLVIDE TOMARSE SU MULTIVITAMÍNICO

"Un suplemento multivitamínico y de minerales es la piedra angular de cualquier régimen suplementario inteligente", dice Jeffrey Blumberg, Ph.D., jefe del laboratorio de investigación de antioxidantes del Centro de Investigación en Nutrición Humana del Envejecimiento, del Departamento de Agricultura de los Estados Unidos en la Universidad Tufts en Boston.

¿Pero cómo puede saber si el suplemento multivitamínico y de minerales que usted está tomando es bueno? Lea la etiqueta. Busque un suplemento multivitamínico y de minerales que contenga el 100 por ciento de la Cantidad Diaria Recomendada (*Daily Value* o *DV* por sus siglas en inglés) de la mayoría de las vitaminas y minerales esenciales. Ninguno contiene todos. La etiqueta también debe incluir las letras *USP*, que son las siglas en inglés de la Farmacopea de los Estados Unidos. Además, verifique la fecha de caducidad y no compre más de las que pueda usar antes de dicha fecha.

Su suplemento multivitamínico y de minerales debe contener los siguientes nutrientes esenciales.

VITAMINAS

Nutriente: Vitamina A o Vitamina A preformada (betacaroteno)

Cantidad Diaria Recomendada: 5,000 unidades internacionales (UI)

Qué hace: Ayuda a sus ojos a ajustarse a la luz tenue; mantiene la inmunidad y forma y mantiene la estructura y funcionamiento normales de las células epiteliales (células que sirven de barrera entre su cuerpo y el medio ambiente) de la boca, ojos, piel, cabello, encías y diversas glándulas.

Nutriente: Vitamina B_6

Cantidad Diaria Recomendada: 2 miligramos

Qué hace: Ayuda al cuerpo a fabricar glóbulos rojos; ayuda a cuidar su sistema inmunitario y ayuda a producir insulina (la hormona que ayuda a convertir los alimentos en energía).

Nutriente: Vitamina D

Cantidad Diaria Recomendada: 400 UI

Qué hace: Ayuda a que los huesos se mineralicen adecuadamente al transportar el calcio y el fósforo, que son dos minerales que sirven para fabricar hueso, a la sangre y eventualmente a los huesos.

Nutriente: Ácido fólico (folato)

Cantidad Diaria Recomendada: 400 microgramos

Qué hace: Le ayuda a fabricar ADN y ARN, que son las moléculas que constituyen el código genético para la reproducción celular. También es necesario para la síntesis de hemoglobina, la cual lleva el oxígeno en el interior de los glóbulos rojos.

MINERALES

Nutriente: Cinc

Cantidad Diaria Recomendada: 15 miligramos

Qué hace: Ayuda a que su sistema inmunitario se mantenga fuerte; promueve la reproducción celular y ayuda a sanar heridas. Es crucial para la producción de esperma y el desarrollo fetal.

Nutriente: Cobre

Cantidad Diaria Recomendada: 2 miligramos

Qué hace: Le ayuda a su cuerpo a fabricar hemoglobina, la cual lleva el oxígeno en el interior de los glóbulos rojos, y también ayuda al cuerpo a absorber el hierro.

Nutriente: Cromo

Cantidad Diaria Recomendada: 120 microgramos

Qué hace: Le ayuda al cuerpo a convertir carbohidratos y grasas en energía y trabaja junto con la insulina para ayudarle a usar la glucosa (azúcar sanguínea).

Nutriente: Hierro

Cantidad Diaria Recomendada: 18 miligramos

Qué hace: Lleva el oxígeno en la sangre y elimina el dióxido de carbono, el cual se forma a medida que su cuerpo produce energía. También ayuda a pro-

(continúa)

NO OLVIDE TOMARSE SU MULTIVITAMÍNICO (CONTINUACIÓN)

tegerla contra las infecciones. Los suplementos multivitamínicos y de minerales vienen en formulaciones que contienen poco o nada de hierro. Si usted presenta un sangrado abundante durante la menstruación, procure consumir la Cantidad Diaria Recomendada; de otro modo, deberá buscar un suplemento multivitamínico y de minerales que contenga poco o nada de hierro.

Nutriente: Magnesio

Cantidad Diaria Recomendada: 400 miligramos (La mayor cantidad que encontrará en un suplemento multivitamínico y de minerales normal es de 100 miligramos; si se agregara más, el suplemento sería tan grande que no podría tragárselo).

Qué hace: Le ayuda a su cuerpo a fabricar proteínas; ayuda a mantener las células nerviosas y musculares; desempeña un papel en la mineralización de los huesos y en el funcionamiento del sistema inmunitario.

Nutriente: Selenio

Cantidad Diaria Recomendada: 70 microgramos (La mayoría de los suplementos multivitamínicos y de minerales contienen menos; busque alguno que contenga un mínimo de 10 microgramos).

Qué hace: Trabaja junto con la vitamina E para proteger las células de los daños causados por los radicales libres, que son moléculas inestables de oxígeno que se cree que aceleran el proceso de envejecimiento al dañar las células y tejidos.

Ácido alfa-lipóico

Qué es: El ácido alfa-lipóico (*alpha-lipoic acid* o *ALA* por sus siglas en inglés) es un antioxidante que produce el cuerpo y que también ayuda a descomponer los alimentos para obtener la energía que necesitan sus células. También le ayuda al cuerpo a reciclar y renovar las vitaminas C y E, permitiéndoles de nuevo que cumplan con su función. Y a diferencia de muchos antioxidantes, que son solubles sólo en grasa o sólo en agua, el ALA combate los radicales libres en las partes tanto grasosas como acuosas de las células, protegiéndolas contra los daños que causan los radicales libres. "El ácido lipóico puede entrar y salir de cualquier célula del cuerpo, incluso de las células del cerebro", dice Lester Packer, Ph.D., profesor de Biología Molecular y Celular de la Universidad de California en Berkeley.

Cómo retarda el envejecimiento: Los estudios clínicos sugieren que el ALA puede ayudar a prevenir el daño a los nervios causado por los ataques de los radicales libres que frecuentemente acompañan a la diabetes. En un estudio realizado en Alemania, la administración de ALA por la vía intravenosa redujo significativamente el dolor, el cosquilleo y el entumecimiento en los pies de personas con diabetes.

Lo que encontrará en la tienda: El ALA viene en cápsulas y tabletas, en dosis de 50 a 300 miligramos.

Cuánto debe tomar: La dosis que generalmente se recomienda es de 50 a 100 miligramos al día. Para el tratamiento de la diabetes, la dosis recomendada es de 300 a 600 miligramos al día, dice el Dr. Packer.

Advertencias: Si usted tiene diabetes y está recibiendo tratamiento para los síntomas causados por nervios dañados, el Dr. Packer sugiere que hable con su médico antes de tomar suplementos de ALA.

Bioflavonoides

Qué son: Los bioflavonoides son un grupo de pigmentos vegetales que les confieren parte de su color a las frutas y las flores. Algunos bioflavonoides actúan como antioxidantes potentes, "muchos de los cuales son más potentes que los antioxidantes más conocidos, como las vitaminas C y E", explica Shari Lieberman, Ph.D., una científica de la nutrición y fisióloga del ejercicio de la ciudad de Nueva York.

Cómo retarda el envejecimiento: Los bioflavonoides pueden ayudar a disminuir el riesgo de desarrollar enfermedades cardíacas. En un estudio finlandés realizado en 1996, se encontró que las mujeres que comían la mayor cantidad de flavonoides presentaban un riesgo un 46 por ciento menor de desarrollar enfermedades del corazón que las mujeres que consumían la menor cantidad de estos compuestos.

Los bioflavonoides evitan que los pequeños discos que se encuen-

(continúa en la página 156)

HISTORIA VERDADERA
Quien juega con fuego, se va a quemar

Después de dos años de trabajar horas extras y durante los fines de semana como programadora de computadoras, Terri, una mujer pelirroja de 39 años de edad, finalmente logró ascender al puesto de gerente de proyectos. Para celebrar, ella se va a regalar una semana de vacaciones en las Bahamas y está decidida a asolearse hasta que su piel color marfil adquiera "el bronceado perfecto". Por supuesto, ella ya conoce los peligros de exponerse al sol, pero ya ha ingeniado un plan. Primero, se va a atiborrar de antioxidantes, como el picnogenol, que prometen que su piel se mantendrá flexible y juvenil. Luego se aplicará un poco de bronceador artificial. Ella piensa que si su piel adquiere un tono café antes de tirarse al sol, ella disfrutará de una protección natural contra los rayos dañinos del Sol y ni siquiera tendrá que usar alguno de esos filtros solares espesos que la hacen sentir como si se hubiera sumergido en una piscina (alberca) de grasa. Además, sólo se estará asoleando una semana. ¿Qué tanto daño puede hacer el sol en una sola semana?

Un daño considerable. De hecho, el "plan" de Terri hace que su cutis sea vulnerable no sólo a las líneas y las arrugas, sino también al cáncer de la piel.

En algunos estudios realizados en animales y en tubos de ensayo se ha encontrado que los antioxidantes como las vitaminas C y E y el picnogenol pueden ayudar a prevenir el daño causado por el sol. Mientras que en humanos no existen pruebas contundentes que afirmen lo mismo, se ha encontrado que el uso prolongado de vitamina C tópica brinda un poco de protección.

Aun en el caso de que funcionaran, no hay manera de saber cuáles son las dosis que serían necesarias para prevenir los daños causados por el sol, ni cuánto tiempo se deben tomar antes de exponerse al sol. Los bronceadores sin sol o artificiales, si no contienen un filtro solar, tampoco protegen la piel, sin importar qué tan "morena" la pongan.

Lo mejor que Terri podría hacer para proteger su piel es evitar estar bajo el sol entre las 10:00 A.M. y las 4:00 P.M., cuando los rayos solares son más intensos. Si no quiere hacer esto, puede usar ropa que la proteja y un sombrero de ala ancha, untarse un filtro solar por todo el cuerpo, pasar el mayor tiempo posible debajo de una sombrilla y tomarse un "receso del sol" en un lugar sombreado durante 15 a 20 minutos cada hora.

Cualquier filtro solar que use Terri debe aplicarse media hora antes de exponerse al sol. Ella podría optar por un producto que contenga un bloqueador físico, como óxido de cinc (*zinc oxide*) o dióxido de titanio (*titanium dioxide*). Estas sustancias evitan que la piel absorba dos tipos de rayos solares ultravioleta: UVA y UVB.

O bien, Terri podría usar lo que se conoce como un filtro solar de espectro amplio. El principio activo que contienen estos productos, llamado avobenzona (*avobenzone*) y que también se conoce como Parsol 1789, bloquea tanto los rayos UVA como los UVB.

Cualquiera que sea el producto que Terri use, este debe tener un factor de protección solar (*SPF* por sus siglas en inglés) de cuando menos 15. Debido a que su piel es muy clara, ella debe volverse a aplicar el producto cada par de horas, independientemente de que piense que lo necesite o no. Y también debe recordar que aunque el filtro solar sí protege, también permite que algunos rayos UV penetren la piel. Durante sus "recesos del sol", Terri también debe ver si su piel se está poniendo rosa, una señal de que ya va en camino a provocarse una quemadura solar que le dañará la piel. Si su piel se está tornando de color rosa, debe quedarse bajo la sombra el resto del día.

En cuanto al "bronceado perfecto", el color café de un verdadero bronceado significa que la piel ya ha sido dañada por el sol y en algún momento puede empezar a dar señales de envejecimiento prematuro o cáncer de la piel. Si lo que Terri realmente quiere es verse bronceada, esto lo puede conseguir usando un bronceador artificial sin tener que exponerse al sol en lo absoluto.

EXPERTA CONSULTADA
Dra. Karen Keller
Dermatóloga
Burlingame, California

tran en nuestra sangre (llamados plaquetas), y que la ayudan a coagularse, se aglomeren y formen coágulos que puedan bloquear las arterias. También evitan que el colesterol dañino, o sea, el colesterol conformado por lipoproteínas de baja densidad (*LDL* por sus siglas en inglés), se oxide y se adhiera a las paredes de las arterias.

Algunos bioflavonoides pueden detener el cáncer antes de que empiece. Para darle sólo unos cuantos ejemplos, en estudios realizados en tubos de ensayo se ha demostrado que la quercetina, la cual se encuentra en la manzana, la cebolla amarilla y roja y el té, ayuda a prevenir el crecimiento de tumores y evita que las células malignas se propaguen. Y la rutina, que se encuentra en el alforjón (trigo sarraceno), ayuda a disminuir el riesgo de desarrollar cáncer a través de su acción antioxidante.

¿SON SEGUROS LOS SUPLEMENTOS DE HORMONAS?

Algunas de las hormonas antienvejecimiento que normalmente produce nuestro cuerpo ahora están disponibles en frascos que se venden en la tienda de productos naturales de su localidad. Y si bien el gobierno clasifica a estas "hormonas embotelladas" como suplementos dietéticos, algunos expertos dicen que no deberían de clasificarse así.

"Estos productos son sustancias potentes y deben considerarse como fármacos", dice el Dr. Alan R. Gaby, profesor de Nutrición de la Universidad Bastyr en Kenmore, Washington. "Tienen el potencial de brindar muchos beneficios, pero también pueden causar daños considerables".

Un ejemplo es la deshidroepiandrosterona (*DHEA* por sus siglas en inglés). En estudios realizados en animales, esta hormona masculina (que también producen las mujeres) parece mejorar la inmunidad y ayudar a proteger contra la diabetes, las enfermedades cardíacas e incluso el cáncer.

El problema es que nuestro cuerpo convierte la DHEA en estrógeno y testosterona. Por lo tanto, incluso si una pequeñísima cantidad se convierte en estrógeno en una mujer que tiene antecedentes familiares de

Lo que encontrará en la tienda: Usted puede obtener bioflavonoides comiendo frutas y verduras o tomándolos en forma de suplemento. Los suplementos pueden contener ya sea un solo bioflavonoide o diversos bioflavonoides combinados, dice el Dr. Michael Janson, presidente del Colegio para el Avance de la Medicina de los Estados Unidos. Estos suplementos generalmente contienen extractos de quercetina, hesperidina, rutina y bioflavonoides cítricos y vienen en dosis de 500 ó 1,000 miligramos.

Cuánto debe tomar: El Dr. Janson recomienda tomar 1,000 miligramos una o dos veces al día. Dado que también son antioxidantes potentes, los bioflavonoides aumentan la absorción de vitamina C.

Advertencias: En general, se consideran seguros.

---

cáncer de mama, ella podría estar incrementando su riesgo de desarrollar esta enfermedad, dice el Dr. Gaby.

La pregnenolona (*pregnenlone*), que es el precursor de la DHEA, es otra hormona embotellada que se está vendiendo como pan caliente. Pero se han realizado muy pocos estudios de investigación clínica de esta hormona. "Se ha realizado un estudio en animales que sugiere que mejora la memoria y eso es prácticamente todo lo que hay", dice el Dr. Gaby.

En el cuerpo, la pregnenolona se puede convertir en DHEA, incrementando así la cantidad de estrógeno y testosterona en nuestro cuerpo. El uso de pregnenolona plantea ciertos riesgos potenciales, dice el Dr. Gaby. Esta hormona no se ha usado suficiente tiempo como para determinar su seguridad.

Conclusión: No se autorrecete suplementos de hormonas, dice el Dr. Gaby. Consulte a un médico, quien podrá decirle si los suplementos de hormonas son adecuados para usted, se los recetará a la dosis apropiada (en caso necesario) y vigilará cómo su cuerpo reacciona a ellos.

Coenzima Q$_{10}$

Qué es: La coenzima Q$_{10}$, que es un antioxidante que se sintetiza en nuestro cuerpo, ayuda a hacer ATP (adenosina trifosfato), que es el combustible que permite que nuestras células cumplan con su trabajo. Cada célula de nuestro cuerpo contiene este antioxidante, pero se encuentra en mayor concentración en las células del músculo cardíaco, las cuales necesitan la mayor cantidad de combustible. La coenzima Q$_{10}$ se encuentra en nuestro cuerpo en cantidades abundantes hasta que cumplimos los 40 años de edad. Después de eso, el nivel de este compuesto desciende drásticamente.

Cómo retarda el envejecimiento: La coenzima Q$_{10}$ puede ayudar a prevenir o tratar muchas formas comunes de enfermedades cardíacas, dice el Dr. Peter Langsjoen, un cardiólogo de planta del Hospital Mother Francis y del Centro Médico del Este de Texas en Tyler. "Esta sustancia produce una mejoría tan dramática que para mí es impensable ejercer la medicina sin ella".

Los estudios de investigación han mostrado que las personas con diversos tipos de enfermedades cardíacas presentan una deficiencia de coenzima Q$_{10}$, y que entre más severa sea la enfermedad cardíaca, menor es el nivel al que cae esta sustancia. La coenzima Q$_{10}$ parece mejorar la capacidad que tiene el corazón para contraerse. Y debido a que es un antioxidante potente, la coenzima Q$_{10}$ también ayuda a prevenir que el colesterol "malo" tipo LDL se adhiera a las paredes de las arterias y tape los vasos sanguíneos.

La coenzima Q$_{10}$ se utiliza para tratar diversas afecciones del corazón, desde dolor en el corazón (angina) hasta cardiomiopatía (cualquier enfermedad no inflamatoria del músculo cardíaco). Algunos estudios de investigación sugieren que este antioxidante ayuda a tratar la angina al permitir que las células del músculo cardíaco utilicen el oxígeno de manera más eficiente. En un pequeño estudio de 19 personas con cardiomiopatía realizado por el Dr. Langsjoen, les fue mucho mejor a aquellas personas que tomaron 100 miligramos de coenzima Q$_{10}$ al día junto con su terapia convencional que a aquellas que recibieron su terapia convencional y un placebo.

La coenzima Q$_{10}$ también ayuda a tratar la insuficiencia cardíaca por congestión venosa, la cual ocurre cuando el corazón está demasiado débil para bombear sangre a través del cuerpo. En un estudio a gran escala realizado por el Dr. Langsjoen, el 58 por ciento de las personas que tomaron coenzima Q$_{10}$ mejoraron al pasar a la siguiente clase definida bajo la clasificación de la Asociación del Corazón de Nueva York (el estándar que utilizan los doctores para evaluar el estado de los pacientes con enfermedades cardíacas), el 28 por ciento avanzaron dos clases y el 43 por ciento dejaron de tomar uno o más fármacos.

Lo que encontrará en la tienda: La coenzima Q_{10} se puede encontrar en cápsulas de 10 a 200 miligramos. El Dr. Langsjoen prefiere los suplementos que se venden en cápsulas de gel suaves y que se preparan con aceite porque se absorben mejor en el cuerpo.

Cuánto debe tomar: Como medida preventiva, tome de 30 a 60 miligramos al día, dice el Dr. Langsjoen. Él receta dosis más altas —de 120 a 360 miligramos— a las personas que tienen problemas cardíacos.

Este nutriente sólo es soluble en presencia de la grasa, de modo que si usted está tomando suplementos de coenzima Q_{10} que no vengan en forma de gel, tómeselos junto con una comida o merienda (refrigerio) que contenga una pequeña cantidad de grasa, dice el Dr. Langsjoen.

Advertencias: Algunos medicamentos agotan las reservas de coenzima Q_{10} que hay en el cuerpo. Estos medicamentos incluyen los fármacos que bajan el colesterol como la lovastatina (*Mevacor*). Además, se han observado algunas interacciones entre la coenzima Q_{10} y el medicamento warfarina (*Coumadin*). Por lo tanto, si está tomando estos medicamentos, consulte a su médico antes de tomar la coenzima Q_{10}. También debe consultarlo si padece alguna enfermedad cardíaca y desea tomar coenzima Q_{10}, dice el Dr. Langsjoen.

Fosfatidilserina (*phosphatidylserine*)

Qué es: Esta sustancia es un fosfolípido, que es un tipo de grasa que se encuentra concentrada en las células nerviosas del cerebro. En las personas de edad avanzada, los niveles bajos de fosfatidilserina se han asociado con un deterioro del funcionamiento mental y la depresión.

Cómo retarda el envejecimiento: La fosfatidilserina mejora la memoria, dice el Dr. Timothy Smith, un experto en medicina antienvejecimiento de Sebastopol, California. También ayuda a regenerar las células nerviosas dañadas, de modo que puedan enviar y recibir sus "mensajes" con mayor eficacia.

Unos investigadores de la Universidad Stanford y de la Universidad Vanderbilt en Nashville estudiaron los efectos de la fosfatidilserina en 149 personas de 50 a 75 años de edad con una pérdida "normal" de la memoria asociada con el envejecimiento. Las personas que presentaban el mayor deterioro en su memoria revirtieron una disminución aproximada de 12 años en su memoria. En otras palabras, las puntuaciones promedio obtenidas en pruebas de la memoria por las personas de 64 años de edad se incrementaron al nivel de las puntuaciones promedio obtenidas por las personas de 52 años de edad.

Lo que encontrará en la tienda: Los suplementos de fosfatidilserina se hacen a partir de la lecitina, que es un derivado de la soya. En los Estados Unidos, está disponible en cápsulas y tabletas de 20 a 100 miligramos.

Cuánto debe tomar: El Dr. Smith recomienda tomar 100 miligramos de fosfatidilserina dos o tres veces al día. Después de un mes, dice, empiece a tomar una dosis de mantenimiento de 100 a 200 miligramos al día.

Advertencias: La fosfatidilserina parece ser segura y no parece causar efectos secundarios graves, señala el Dr. Smith.

Ginkgo

Qué es: El *ginkgo* es una hierba que se extrae de las hojas del árbol *ginkgo*, las cuales tienen forma de abanico y un aspecto similar al cuero.

Cómo retarda el envejecimiento: Esta hierba ayuda a al cerebro a funcionar de manera más eficiente. El *ginkgo*, que actualmente ya se está usando en Alemania para tratar la demencia, mejora la circulación de la sangre, de modo que más nutrientes llegan a las células del cerebro permitiéndoles trabajar de forma más eficiente. En estudios realizados en Europa, también se ha encontrado que el *ginkgo* mejora el desempeño mental y la memoria a corto plazo.

Si bien no existen pruebas que indiquen que tomar *ginkgo* ahora prevendrá la enfermedad de Alzheimer más adelante, un número creciente de estudios de investigación sugiere que el extracto concentrado de esta hierba mejora el funcionamiento mental de las personas que ya padecen esta enfermedad.

En uno de los estudios más importantes, los investigadores encontraron que de las personas con demencia tipo Alzheimer y con demencia causada por la enfermedad de los vasos sanguíneos del cerebro, aquellas que tomaron *ginkgo* presentaron una mejor capacidad para pensar e interactuar con otras personas comparadas con aquellas que tomaron un placebo, o sea, una sustancia inactiva.

Lo que encontrará en la tienda: El *ginkgo* usualmente se vende en cápsulas de 40, 60 ó 120 miligramos.

Cuánto debe tomar: Tome de 120 a 240 miligramos al día en dos o tres dosis separadas, dice Varro E. Tyler, Ph.D., Sc.D., rector emérito de la Facultad de Farmacéutica y Ciencias Farmacéuticas de la Universidad Purdue en Lafayette, Indiana. El suplemento que compre deberá contener un 24 por ciento de glucósidos de flavona (*flavone glycosides*) y un 6 por ciento de terpenos (*terpenes*), dice el Dr. Tyler. (Quizá vea "24/6" en la etiqueta).

Advertencias: Según el Dr. Tyler, usted debe considerar cuidadosamente tomar *ginkgo* si está tomando hierbas que previenen la coagulación de la sangre, tales como ajo, jengibre y matricaria (margaza). Asimismo, no lo tome si actualmente está tomando aspirina, warfarina (*Coumadin*) o algún fármaco inhibidor de la monoaminooxidasa (*MAO inhibitor*).

Melatonina (*melatonin*)

Qué es: La melatonina es una hormona que secreta una glándula del tamaño de un chícharo (guisante, arveja) llamada la glándula pineal. Esta hormona ayuda a regular nuestros patrones de sueño. Nuestros niveles de melatonina llegan a su máximo cuando cumplimos los 3 años de edad y permanecen altos hasta después de la edad madura.

Cómo retarda el envejecimiento: La melatonina es un antioxidante potente, dice Russel J. Reiter, Ph.D., un biólogo celular del Centro de Ciencias de la Salud de la Universidad de Texas en San Antonio y editor del *Journal of Pineal Research* (Boletín de Investigación Pineal).

"La melatonina es uno de los antioxidantes más potentes que existen", dice el Dr. Reiter. Como tal, brinda protección contra las enfermedades asociadas con el envejecimiento, como por ejemplo, enfermedades cardiovasculares y cáncer, las cuales pueden estar vinculadas a los daños causados por los radicales libres.

Asimismo, a diferencia de muchos otros antioxidantes, la melatonina es capaz de cruzar lo que se conoce como la barrera entre la sangre y el cerebro, lo que significa que penetra el cerebro con más facilidad que algunos otros antioxidantes, dice el Dr. Reiter. Por lo tanto, tiene una mayor capacidad para combatir los daños causados por los radicales libres en el cerebro.

Las pruebas recientes sugieren que la melatonina también puede retardar el avance de la enfermedad de Alzheimer. "Gran parte de la demencia que se asocia con el envejecimiento, incluyendo la enfermedad de Alzheimer, se debe a la pérdida de neuronas que resulta de los daños causados por los radicales libres —dice el Dr. Reiter—. Si bien las dosis

SUPLEMENTOS PARA EVADIR EL CÁNCER

El cáncer del colon es el tercer tipo de cáncer más común en las mujeres, responsable de la muerte de 24,900 mujeres cada año. Pero tomar un suplemento multivitamínico y de minerales diario o un suplemento de vitamina E puede disminuir su riesgo de desarrollar esta enfermedad, según sugiere un estudio realizado en el Centro de Investigación del Cáncer Fred Hutchinson en Seattle.

Los investigadores analizaron el uso de vitaminas en 444 hombres y mujeres con cáncer del colon, enfocándose en el período de 10 años que terminó dos años antes de su diagnóstico. Luego, compararon el uso de vitaminas en este grupo contra el uso de vitaminas en 426 personas sin cáncer. Los investigadores encontraron que las personas que regularmente habían tomado un suplemento multivitamínico y de minerales durante 10 años redujeron en un 51 por ciento su riesgo de desarrollar cáncer del colon y que aquellas que habían tomado vitamina E pueden haber reducido su riesgo en un 57 por ciento.

Esto no necesariamente significa que los suplementos vitamínicos son la mejor protección contra el cáncer. Según estos investigadores, comer cantidades abundantes de frutas y verduras sigue siendo el mejor consejo a seguir, porque estos alimentos contienen el equilibrio preciso de vitaminas.

muy altas de vitamina E, un antioxidante bien conocido, administradas durante períodos largos pueden retrasar ligeramente la enfermedad de Alzheimer, en un estudio reciente realizado con gemelos idénticos se encontró que incluso con tan sólo 6 miligramos de melatonina tomados cada día durante 3 años se reduce sustancialmente el avance de este padecimiento".

En algunos estudios de laboratorio, también se ha encontrado que la melatonina previene el crecimiento de células cancerosas y retarda el crecimiento de algunos tumores.

Lo que encontrará en la tienda: La melatonina generalmente se vende en cápsulas y tabletas de 3 miligramos. Aunque son menos comunes, también podrá encontrarla en dosis de 1 miligramo y 0.5 miligramos (o 500 microgramos). Evite los llamados suplementos "naturales" de melatonina, los cuales probablemente no contienen una cantidad suficiente de este compuesto como para ser eficaces, dice el Dr. Reiter. La variedad sintética, que es la que probablemente encontrará, es buena.

Cuánto debe tomar: Debe tomar menos de lo que piensa. Aunque la dosis que generalmente se recomienda es de 1 miligramo, el Dr. Reiter toma 0.5 miligramos al día. "Y yo tengo los niveles de melatonina de una persona joven", dice.

Asimismo, siempre tome la melatonina antes de irse a la cama, dice el Dr. Reiter. Y mantenga oscuro su cuarto, pues la oscuridad estimula la producción de melatonina.

Advertencias: Dado que la melatonina provoca soñolencia, no maneje ni realice actividad alguna para la cual necesite estar alerta después de tomarla, dice el Dr. Reiter. Antes de que comience a tomar melatonina, hable con su médico. Aunque son raras, sí pueden tener interacciones con medicamentos que se venden con receta.

Picnogenol (*pycnogenol*)

Qué es: El picnogenol, que es un suplemento de marca registrada que se deriva de la corteza del pino marítimo francés, contiene alrededor de 40 bioflavonoides que poseen propiedades antioxidantes. Sus principios activos —un tipo de flavonoides llamados proantocianidinas, que también se encuentran en las semillas de la uva— lo hacen un antioxidante potente. El picnogenol también recicla tanto la vitamina C como la vitamina E, lo que las hace nuevamente eficaces, dice el Dr. Packer.

Cómo retarda el envejecimiento: El picnogenol disminuye el riesgo de desarrollar enfermedades cardíacas al mantener a las plaquetas despegadas de modo que no puedan adherirse a las paredes de las arterias y al evitar que el colesterol tipo LDL se oxide, dice el Dr. Packer.

El picnogenol también fortalece los vasos sanguíneos más pequeños del cuerpo, llamados capilares, y previene los daños a los vasos sanguíneos causados por los radicales libres. El picnogenol también suprime la sobreproducción de óxido nítrico (*NO* por sus siglas en inglés) por parte de las células del sistema inmunitario. Esto resulta ser importante porque el óxido nítrico está vinculado con la artritis reumatoide y a la enfermedad de Alzheimer, dice el Dr. Packer.

Lo que encontrará en la tienda: El picnogenol viene en tabletas o cápsulas, en dosis de 20 miligramos a 100 miligramos.

Cuánto debe tomar: La dosis que generalmente se recomienda va de 50 a 100 miligramos al día, dice el Dr. Packer.

Vitamina C

Qué es: La vitamina C, que es un nutriente antioxidante, se encuentra en las frutas cítricas, las fresas, el brócoli, el kiwi y otras frutas y verduras.

Cómo retarda el envejecimiento: Los estudios de investigación sugieren que las personas que siguen una alimentación rica en vitamina C presentan una menor incidencia de cáncer, enfermedades cardíacas y presión arterial alta. También existen pruebas que indican que los suplementos de vitamina C pueden ayudar a prevenir las cataratas y pueden ayudar a engrosar los huesos durante los primeros años posmenopáusicos y en mujeres que nunca han usado la terapia de reposición hormonal de estrógeno. Los estudios clínicos sugieren que puede combatir la presión arterial alta.

Lo que encontrará en la tienda: Los suplementos de vitamina C se venden en tabletas y cápsulas de 250, 500 y 1,000 miligramos e incluso de dosis mayores, así como en polvo que se puede mezclar con agua o jugo.

Cualquiera que sea la forma que compre, no gaste su dinero en suplementos naturales de vitamina C. "No hay diferencia alguna entre la vitamina C natural y la sintética. Es exactamente la misma molécula", dice Jeffrey Blumberg, Ph.D., jefe del laboratorio de investigación de antioxidantes del Centro de Investigación en Nutrición Humana del Envejecimiento del Departamento de Agricultura de los Estados Unidos en la Universidad Tufts en Boston.

Cuánto debe tomar: La Cantidad Diaria Recomendada es de 60 miligramos, una cantidad que ahora los investigadores admiten que es demasiado baja para prevenir enfermedades. Trate de tomar de 200 a 500 miligramos al día, dice el Dr. Blumberg.

Advertencias: Tomar más de 1,000 miligramos de vitamina C al día puede causar diarrea en algunas personas. Si esto le ocurre, deje de tomar vitamina C de inmediato. Si quiere tomar más de 1,000 miligramos, comience con 250 miligramos e incremente la dosis cada par de días conforme su tolerancia vaya aumentando, dice el Dr. Blumberg.

Vitamina E

Qué es: La vitamina E, que es un nutriente antioxidante, se encuentra en los frutos secos, las semillas y los aceites vegetales.

Cómo retarda el envejecimiento: Los estudios de investigación sugieren que el poder antioxidante de la vitamina E puede ayudar a prevenir las enfermedades cardíacas y el cáncer, estimula el sistema inmunitario y posiblemente ayude a normalizar los niveles de azúcar en la sangre en las personas con diabetes.

La vitamina E también parece retardar el avance de la enfermedad de Alzheimer. Unos investigadores de la Universidad Columbia y otros centros les dieron 2,000 unidades internacionales (UI) de vitamina E al día durante dos años a personas con enfermedad de Alzheimer moderadamente severa. Al final del estudio, estos investigadores concluyeron que la vitamina E había reducido la marcha del deterioro mental de estas personas alrededor de un 25 por ciento, principalmente en su capacidad de realizar tareas cotidianas como vestirse, ir al baño y comer.

Lo que encontrará en la tienda: La vitamina E viene en cápsulas de 100, 200 ó 400 UI. También está disponible en forma líquida.

En estudios de investigación recientes se ha encontrado que nuestro cuerpo absorbe la forma natural de la vitamina E (d–alfa tocoferol) con más eficacia que la forma sintética (dl–alfa tocoferol). Sin embargo, tendrá que pagar más por la forma natural.

Cuánto debe tomar: La Cantidad Diaria Recomendada es de 30 UI, la cual, según sugieren algunos estudios de investigación, no es suficiente para prevenir las enfermedades cardíacas y otras enfermedades. Trate de tomar de 100 a 400 UI, recomienda el Dr. Blumberg. Tome vitamina E junto con algún alimento que contenga una pequeña cantidad de grasa. Así la absorberá mejor.

Advertencias: Si está tomando medicamentos anticoagulantes, use la vitamina E sólo bajo la supervisión de un médico, dice el Dr. Blumberg.

Tiendas de Productos Naturales

Para ayudarla a conseguir los productos que aparecen en este libro, hemos preparado esta lista de tiendas de habla hispana que venden algunos de los suplementos que mencionamos. El hecho de que hayamos incluido una tienda en esta lista no significa que la estemos recomendando y por supuesto, tampoco abarcamos todas las tiendas de productos naturales de habla hispana. Nuestra intención es darle un punto de partida para conseguir productos naturales. Si usted no encuentra en esta lista una tienda que le quede cerca, tiene la opción de escribirles a alguno de estos lugares para que le envíen los productos que desea. Hemos señalado con una estrella a las que envían pedidos internacionalmente. También puede buscar una tienda en su zona consultando su guía telefónica local bajo "productos naturales" o "*health food stores*".

Arizona

Yerbería San Francisco
6403 N. 59th Avenue
Glendale, AZ 85301

Yerbería San Francisco
5233 S. Central Avenue
Phoenix, AZ 85040

Yerbería San Francisco
961 W. Ray Road
Chandler, AZ 85224

California

Capitol Drugs, Inc.★
8578 Santa Monica Boulevard
West Hollywood, CA 90069

El Centro Naturista
114 S. D Street
Madera, CA 93638

Cuevas Health Foods
429 S. Atlantic Boulevard
Los Ángeles, CA 90022

La Yerba Buena★
4223 E. Tulare Avenue
Fresno, CA 93702

Consejería de Salud
Productos Naturales
2558 Mission Street
San Francisco, CA 94110

Centro Naturista Vida Sana
1403 E. 4th Street
Long Beach, CA 90802

Centro Naturista
7860 Paramount Boulevard
Pico Rivera, CA 90660

Franco's Naturista★
14925 S. Vermont Avenue
Gardena, CA 90247

Centro de Nutrición Naturista★
6111 Pacific Boulevard
Suite 201
Huntington Park, CA 90255

Centro de Salud Natural
111 W. Olive Drive #B
San Diego, CA 92173

COLORADO
Tienda Naturista
3158 W. Alameda Avenue
Denver, CO 80219

CONNECTICUT
Centro de Nutrición y Terapias Naturales★
1764 Park Street
Hartford, CT 06105

FLORIDA
Budget Pharmacy★
3001 NW 7th Street
Miami, FL 33125

XtraLife★
340 Palm Avenue
Hialeah, FL 33010

ILLINOIS
Vida Sana
4045 W. 26th Street
Chicago, IL 60623

Centro Naturista Nature's Herb
2426 S. Laramie Avenue
Cicero, IL 60804

MASSACHUSETTS
Centro de Nutrición y Terapias★
107 Essex Street
Lawrence, MA 01841

Centro de Nutrición y Terapias★
1789 Washington Street
Boston, MA 02118

NUEVA JERSEY
Centro Naturista Sisana
28 B Broadway
Passaic, NJ 07055

Revé Health Food Store
839 Elizabeth Avenue
Elizabeth, NJ 07201

Be-Vi Natural Food Center
4005 Bergenline Avenue
Union City, NJ 07087

Natural Health Center
92 Broadway
Newark, NJ 07104

NUEVA YORK
Vida Natural★
79 Clinton Street
New York, NY 10002

PENNSYLVANIA
Botánica Pititi
242 W. King Street
Lancaster, PA 17603

Haussmann's Pharmacy
536 W. Girard Avenue
Philadelphia, PA 19123

PUERTO RICO
El Lucero de Puerto Rico★
1160 Américo Miranda
San Juan, PR 00921

All Natural Plaza Health Food
370 Ave. 65th Inf.
Río Piedras, PR 00926

Centro Naturista Las Américas
634 Andalucía
Puerto Nuevo, PR 00920

Natucentro
92 Calle Giralda
Marginal Residencial Sultana
Mayagüez, PR 00680

Nutricentro Health Food★
965 de Infantería
Lajas, PR 00667

La Natura Health Food★
Calle 26 CC 16
Fajardo Gardens
Fajardo, PR 00738

Natural Center
Yauco Plaza #30
Yauco, PR 00698

Centro Natural Cayey★
54 Muñoz Rivera
Cayey, PR 00737

Milagros de la Naturaleza★
E-42 Calle Apolonia Guittings
Barriada Leguillow
Vieques, PR 00765

TEXAS

Hector's Health Company
4500 N. 10th Street
Suite 10
McAllen, TX 78504

Naturaleza y Nutrición★
123 N. Marlborough Avenue
Dallas, TX 75208

Centro de Nutrición La Azteca
2019 N. Henderson Avenue
Dallas, TX 75206

Botánica del Barrio
3018 Guadalupe Street
San Antonio, TX 78207

Hierba Salud Internacional
9119 S. Gessner Drive
Houston, TX 77074

La Fe Curio and Herb Shop
1229 S. Staples Street
Corpus Christi, TX 78404

El Paso Health Food Center
2700 Montana Avenue
El Paso, TX 79903

ÍNDICE DE TÉRMINOS

Las referencias subrayadas indican que la materia del texto se encuentra dentro de los recuadros.